# PRZYJACIÓŁKI *na zabój*

GITTY DANESHVARI

# PRZYJACIÓŁKI *na zabój*

ILUSTROWAŁ
DARKO DORDEVIC

przełożyła
Ewa Pater

BUKOWY LAS

Specjalne podziękowania dla Emily Kelly i Darrena Sandera

Tytuł oryginału: *Monster High. Ghoulfriends forever*



ISBN 978-83-63431-32-7

Ilustracja na okładce: Darko Dordevic
Projekt okładki: Steve Scott © 2012 Mattel, Inc.
Redakcja: Olga Gitkiewicz
Korekta: Iwona Gawryś
Redakcja techniczna: Adam Kolenda

Wydawca:
Wydawnictwo Bukowy Las Sp. z o.o.
ul. Sokolnicza 5/76, 53-676 Wrocław
www.bukowylas.pl, e-mail: biuro@bukowylas.pl

Wyłączny dystrybutor:
Firma Księgarska Olesiejuk
Spółka z ograniczoną odpowiedzialnością S.K.A.
ul. Poznańska 91, 05-850 Ożarów Mazowiecki
tel. 22 721 30 11, fax 22 721 30 01
www.olesiejuk.pl, e-mail: fk@olesiejuk.pl

Druk i oprawa: Abedik S.A.

Moim ulubionym mieszkankom Madrytu,
Francesce i Olivii Knoell

# ROZDZIAŁ pierwszy

W głębi bujnych lasów stanu Oregon kryło się niewielkie i pozornie przeciętne miasteczko. Znajdowały się w nim sklepy, restauracje, niewielkie domki jednorodzinne i oczywiście szkoły – podobnie jak w większości miast w Ameryce. Mieścina zdawała się tak zwyczajna, że z trudem zapadała w pamięć. Niezliczeni przejezdni mijali ją obojętnie i nie przeszłoby im przez myśl, że Salem może kryć w sobie coś wyjątkowego. Oczywiście, gdyby ktokolwiek z nich uważnie rozejrzał się dookoła, szybko zorientowałby się, że miasteczko

zasiedlają zdecydowanie niezwyczajni mieszkańcy: potwory!

Mogłoby się zatem wydawać, że to wyjątkowo ciekawe miejsce. Nic bardziej mylnego. W Salem już dawno nie wybuchł żaden skandal, a największe kontrowersje wzbudzał wybór cmentarzyska, na którym odbędzie się Doroczny Bal Upiorów, czyli impreza organizowana dla upamiętnienia ukochanych zmarłych potworów. Salem było tak spokojne i przewidywalne, że najbardziej ekscytującym wydarzeniem na horyzoncie był dla jego mieszkańców nadchodzący początek roku szkolnego w straszyceum Monster High.

Był rześki poniedziałkowy poranek, kiedy wysłużone, misternie kute żelazne bramy szkoły rozwarły się z przeciągłym jękiem, by wpuścić do środka napływający strumień młodych potworów. Wśród nich znalazła się drobna kamienna postać odziana w wyszukaną różową sukienkę z lnu, w talii przewiązaną szalem z Przerażancji niczym pasem. Młoda przedstawicielka rodzaju gargulców poruszała się w tłumie uczniów z wyjątkową ostrożnością, bacząc na swoją walizkę firmy Louis Creton i oswojonego gryfa o imieniu Roux, ale przede wszystkim uważając na to, o co ocierają się jej dłonie. Jak wszystkie gargulce była stworzona z kamienia, co sprawiało, że ważyła zdecydowanie więcej, niż na to wyglądała, i... miała wyjątkowo ostre szpony. A podarta sukienka była ostatnią rzeczą, o której marzyła w pierwszy dzień szkoły.

– *Pardonnez-moi*[*], *madame*! – zawołała Rochelle Goyle z uroczym przerażjańskim akcentem, gdy weszła na schody wiodące do budynku. – Nie chcę się wtrącać w nie swoje sprawy, ale wydaje mi się, że znalazłam coś, co należy do pani – powiedziała nieśmiało, po czym schyliła się, by podnieść leżącą na ziemi głowę o kruczoczarnych włosach i karmi-

* Przepraszam (fr.)

nowych ustach. Ostrożnie podała ją okazałej, bezgłowej postaci stojącej obok drzwi wejściowych.

– Dziecko drogie, bardzo ci dziękuję! A tak starałam się nie stracić głowy w tym całym zamieszaniu... dosłownie i w przenośni. Widzisz, niedawno przeżyłam uderzenie pioruna i jeszcze nie całkiem doszłam do siebie po tym wstrząsającym wydarzeniu. Ale nie martw się, to nie potrwa wiecznie – wyjaśniła dyrektor Krewnicka, mocując głowę z powrotem na karku. – Czy my się w ogóle znamy, kochana? W moim obecnym stanie miewam problemy z zapamiętywaniem twarzy i imion czy też – szczerze mówiąc – czegokolwiek.

– Nie, proszę pani, nie może mnie pani kojarzyć. Nazywam się Rochelle Goyle i pochodzę z Upioryża. To mój pierwszy dzień tutaj. Przydzielono mi miejsce w nowym dormitorium.

– Okropnie cieszy mnie fakt, że reputacja naszego straszyceum przyciąga do Salem tak wielu

międzynarodowych uczniów. A więc pochodzisz z Upioryża? Jak się u nas znalazłaś? Mam nadzieję, że nie przyjechałaś wierzchem na grzbiecie tego uroczego gryfa? – spytała dyrektor Krewnicka, wskazując na pełnego werwy czworonożnego ulubieńca Rochelle.

– Paragraf 11, punkt 5 Kodeksu Etycznego Gargulców wyraźnie zabrania siadania nawet na solidnie wyglądających meblach, o zwierzętach domowych nie wspominając! Przyleciałam Wilkołaczymi Liniami Lotniczymi „Pełnia". To przewoźnik godny zaufania. Ich samoloty są wyposażone w siedziska ze wzmacnianej stali, przystosowane do potrzeb kamiennych podróżnych – wyjaśniła dziewczyna, wskazując na swoje szczupłe, acz zaskakująco ciężkie ciało. – Czy mogłaby mi pani wskazać drogę do mojego dormitorium?

Jednak nim dyrektor Krewnicka zdążyła odpowiedzieć, Rochelle powaliło na ziemię uderzenie

ściany wody. Dziewczyna podniosła wzrok i ujrzała niewysoką, pulchną kobietę o siwych włosach, która sunęła przez tłum uczniów niczym fala tsunami, przewracając wszystkich i wszystko, co tylko znalazło się w zasięgu dwóch metrów od jej osoby. Ta zabójczo mokra i przenikliwie zimna postać w jednej chwili spowiła Rochelle i jej gryfa gęstą, wilgotną mgłą.

– Panna Sue Nami? – zawołała dyrektor Krewnicka, akurat w momencie, gdy wodna kobieta z impetem odrzuciła na ścianę niczego niespodziewającego się wampira.

Na dźwięk wysokiego głosu przełożonej panna Sue Nami zawróciła i ruszyła w jej kierunku, z każdym krokiem zostawiając za sobą niewielką kałużę. Gdy znalazła się bliżej, Rochelle omiotła spojrzeniem jej poprzecinaną zmarszczkami twarz, przenikliwe niebieskie oczy i bezkształtną sylwetkę. Kobieta stanęła na szeroko rozstawionych nogach i oparła ręce na potężnych biodrach; w tej pozycji przypominała zapaśnika wagi ciężkiej.

– Słucham, proszę pani! – huknęła Sue Nami tubalnym głosem.

– Ta młoda dama to gość z zagranicy. Czy byłaby pani tak dobra i wskazała jej drogę do dormitorium? – poprosiła dyrektor Krewnicka, po czym zwróciła się do Rochelle: – Jesteś w naprawdę dobrych rękach. Panna Sue Nami niedawno objęła stanowisko mojej zastępczyni do spraw kataklizmów i dyscypliny.

W obawie, że uczniowie będą nadmiernie wykorzystywać jej chwilowe oszołomienie i problemy z pamięcią wynikające z bliskiego spotkania z błyskawicą, dyrektor Krewnicka uczyniła pannę Sue Nami osobą odpowiedzialną za sprawy dyscyplinarne.

– Niedorosła istoto, łap za torbę, bierz pod pachę swoją maskotkę i ruszaj za mną – burknęła wodna postać.

– Roux to nie zabawka, to oswojony gryf. Mówię o tym tylko dlatego, by wyprowadzić panią – czy też kogokolwiek innego, kto mógłby tak pomyśleć – z błędnego przekonania. Dla nas, gargulców, prawda jest bardzo ważna.

– Lekcja pierwsza: mówisz, kiedy ruszasz ustami. Lekcja druga: idziesz, kiedy ruszasz nogami. Jeżeli nie jesteś w stanie wykonywać obu tych czynności jednocześnie, bardzo proszę – skup się na tej ostatniej – warknęła panna Sue Nami, po czym zawróciła gwałtownie i przekroczyła próg imponujących drzwi wejściowych do szkoły.

Znalazłszy się w środku budynku Monster High, Rochelle poczuła, że ogarnia ją silna tęsknota za domem. Wszystko dookoła sprawiało tak obce wrażenie... Jej poprzednia szkoła, École de Gargouille, mieściła się w starym zamku, który niegdyś stanowił siedzibę burmistrza Upioryża. Ściany wszystkich pomieszczeń były bogato zdo-

bione i dodatkowo pokryte dekoracyjnymi tkaninami, a z sufitów zwisały ogromne kryształowe żyrandole. Nic dziwnego, że nowoczesne posadzki w fioletowo-czarną kratę, zielone ściany i różowe szafki w kształcie trumien, które ujrzała w Monster High, mocno ją zaskoczyły. Z pewnym zdziwieniem przeczytała też napis na stojącym tuż przy wejściu nagrobku, który przypominał uczniom o stanowczym zakazie wycia, zrzucania sierści, porzucania kończyn i zakłócania wypoczynku nietoperzom śpiącym w szkolnych korytarzach.

– *Pardonnez-moi*, panno Sue Nami, czy naprawdę znajdują się tutaj nietoperze? Na pewno zdaje sobie pani sprawę z ilości chorób, które przenoszą te zwierzęta... – powiedziała Rochelle. Przebierała co sił swoimi krótkimi kamiennymi nogami, a i tak ledwo nadążała za posuwistymi krokami wodnej kobiety.

– Nietoperze zamieszkujące Monster High są szczepione i służą nam jako tępiciele niepożądanych insektów i pająków. Jako że kilkoro uczniów przynosi żywe owady na swoje drugie śniadanie, nietoperze stanowią doskonałe uzupełnienie na-

szej ekipy sprzątającej. Jeżeli chcesz zgłosić swoje uwagi na ten temat, sugeruję wizytę w gabinecie dyrektor Krewnickiej. Zdecydowanie polecałabym jednak upewnienie się wpierw, czy jej głowa jest na swoim miejscu – wymamrotała pod nosem panna Sue Nami i z impetem otworzyła solidne drzwi, niemal zgniatając przy tym jakiegoś powolnego zombie.

Oszołomiony potwór zdążył jeszcze zachwiać się słabo, po czym runął na podłogę. Na ten widok Rochelle i Roux westchnęli z przejęciem, ale ich wodna przewodniczka sunęła przed siebie, jakby całkowicie nieświadoma przypadkowych strat, które powodował jej zamaszysty przemarsz.

– Nie chcę być niegrzeczna, *madame*, bo wiem, że to nie moja sprawa, ale po prostu muszę zapytać: czy wie pani, że po drodze powaliła pani na ziemię całkiem sporo potworów? – odezwała się taktownie Rochelle.

– Nic na to nie poradzę. Powinni schodzić mi z drogi, w szkole musi być dyscyplina. No, ale starczy tego gadania. Raz, raz, przyspiesz trochę! Nie mam całego dnia na oprowadzanie nowych uczniów! – burknęła panna Sue Nami. – Jeśli potrafisz jednocześnie przebierać nogami i słuchać, potraktuj te kilka minut jak darmową wycieczkę z przewodnikiem. Po twojej prawej znajduje się Laboratorium Absolutnie Pomylonego Naukowca. Nie myl go z Laboratorium Kompletnie Szalonego Naukowca, którego budowa trwa właśnie w szkolnych lochach.

– Czy dwie tak podobne nazwy nie będą wprowadzały niepotrzebnego zamieszania? – zdziwiła się na głos Rochelle, zaglądając przez otwarte drzwi do laboratoryjnego pomieszczenia, pełnego palników Bunsena, retort i probówek z kolorowymi płynami, plastikowych okularów ochronnych, białych fartuchów i mnóstwa bliżej niezidentyfikowanych preparatów.

– Nie odpowiem na twoje pytanie, bo wydaje mi się ono nie na miejscu – odparła z przekąsem panna Sue Nami. – Pozwól, że będę kontynuować. Obecnie w laboratorium odbywają się zajęcia z Nienormalnej Nauki, podczas których uczniowie samodzielnie wytwarzają przeróżne mikstury, takie jak balsam przeznaczony do skóry pokrytej łuską, krople przeciwgrzybiczne dla dyniogłowych, serum do sierści dla owłosionych, olej organiczny dla stworów robotycznych, ultramocny odświeżacz do ust dla potworów morskich i wiele innych – powiedziała wodna opiekunka, po czym przystanęła i otrzepała się jak pies po kąpieli, by pozbyć się nadmiaru wody, ochlapując przy okazji wszystkich, którzy znaleźli się bliżej niż metr od niej. Na szczęście gargulce jako istoty stworzone do odprowadzania wody są na nią odporne – dzięki temu Rochelle i jej sukienka pozostały suche.

– Uwielbiam wodę, ale nawet ja uważam, że to było obrzydliwe – wymamrotała pod nosem pokryta łuską morska potworzyca w japonkach i jaskraworóżowych szortach, ocierając twarz cienką chustką.

– Cóż, przynajmniej nie wyglądasz teraz jak zmokły pies – jęknęła modnie ubrana wilkołaczka, ze wstrętem dotykając przemoczonego futra na kołnierzu, które jeszcze chwilę wcześniej było puszyste i błyszczące.

– Lagoono Blue, Clawdeen Wolf, marnujecie życie, stojąc na korytarzu i narzekając w ten sposób. Jeśli aż tak wam źle, proszę wylewać żale w zaciszu swoich pokoi, tak jak zrobiłby na waszym miejscu każdy mądry potwór.

– *Bonjour** – bąknęła cicho Rochelle, rzucając dziewczynom nieśmiały uśmiech.

– Szal z Przerażancji zawiązany w pasie? To pomysł żywcem ze „Zjawiskowej Zjawy"! Wygląda

* Dzień dobry (fr.)

to straszliwie fantastycznie! – skomplementowała wyszukany ubiór nastolatki Clawdeen.

– *Merci beaucoup** – zawołała w odpowiedzi dziewczyna, pospiesznie oddalając się za panną Sue Nami.

– Następny przystanek na trasie naszej wycieczki to dzwonnica. Za nią znajduje się dziedziniec, a dalej zjadalnia. Po lewej znajdziesz salę gimnastyczną, boisko do kościokówki, świetlicę i wreszcie posępownię, gdzie odbywają się zajęcia złochowawcze – kobieta wyrzucała z siebie kolejne nazwy niczym karabin maszynowy, mijając przepastne fioletowo-zielone korytarze.

Nagle wpadła na rząd różowych szafek w kształcie trumien, ale nie zwolniło to jej ruchów nawet na moment. Gwałtownie skręciła w jedną z odnóg korytarza i bez zająknięcia kontynuowała opowieści o szkole.

---

* Dziękuję bardzo (fr.)

– Ta droga prowadzi na cmentarzysko, gdzie będziesz mogła zaliczyć Wychowanie Meta-fizyczne na zajęciach z Upiornych Pląsów. Oczywiście możesz również dołączyć do szkolnej drużyny rolkolady, która spotyka się w labiryncie ukrytym za tymi drzwiami. Następne w kolejce jest zejście do lochów, gdzie niesubordynowani uczniowie zostają po lekcjach za karę, i wreszcie – strachoteka, w której odbywają się lekcje Upiornej Literatury i Straszystorii, czyli historii potworzych rodów.

– Czy mogłabym otrzymać plan szkoły? – zapytała grzecznie Rochelle; Roux przycupnął uroczo na jej ramieniu. – Mój umysł całkiem nieźle radzi sobie z zapamiętywaniem nowych informacji, ale muszę przyznać, że jest zupełnie do niczego, jeśli chodzi o kierunki.

– Plany są dla tych, którzy boją się zgubić, albo dla tych, którzy już się zgubili, ale boją się, że ktoś ich odnajdzie. Ty nie należysz do żadnej z tych dwóch kategorii. Poza tym jak na razie musisz zapamiętać, gdzie znajduje się Wampiaula, bo to tam odbędzie się oficjalne rozpoczęcie roku szkolnego.

– Ależ ja nie mam pojęcia, gdzie ona może być!

– Zatem sugeruję, żebyś dowiedziała się tego jak najszybciej.

– Pani nie może mi powiedzieć?

– W żadnym razie. Przewidziałam dla nas optymalną trasę do dormitorium, a Wampiaula się na niej nie znajduje. No, dalej, ruszamy! – ryknęła panna Sue Nami, po czym zamaszystym gestem otworzyła drzwi w kształcie trumny, wiodące do kolejnego skrzydła budynku szkoły.

Na końcu długiego i raczej pustego korytarza znajdowały się schody pomalowane na wesoły, jaskrawy róż, w rzeczywistości jednak wyraźnie mocno nadgryzione zębem czasu.

– *Pardonnez-moi, madame*, ale odnoszę wrażenie, że konstrukcja tych schodów nie jest zbyt wytrzymała... ani zgodna z ogólnymi wymaganiami bezpieczeństwa. Zgodnie z Paragrafem 1, punkt 7 Kodeksu Etycznego Gargulców muszę ostrzec panią przed każdym zaobserwowanym przez siebie niebezpieczeństwem, co też właśnie czynię: te schody grożą śmiercią!

– Przestań się tyle martwić, bo zrobią ci się od tego zmarszczki – burknęła w odpowiedzi panna Sue Nami, uciszając Rochelle.

Ciągnąc walizkę marki Louis Creton w górę różowych schodów, które jęczały nieznośnie pod jej ciężarem, Rochelle poczuła, że ogarnia ją kolejna fala tęsknoty za domem. Brakowało jej wszystkiego: od gotyckich łuków jej ukochanej katedry po jednocześnie melodyjne i lekko chropowate brzmienie języka przerażjańskiego. Jednak w tej chwili najbardziej – szczególnie uginając się pod ciężarem bagażu – tęskniła za swoim chłopakiem, Garrottem DuRokiem. Garrott łączył w sobie urodę ciała i ducha: był nie tylko zabójczo przystojny, ale i romantyczny. Chociaż nigdy nie dane im było usiąść razem na ławce w parku (w obawie przed jej zawaleniem), łączyło ich mnóstwo innych pięknych chwil i gestów – chociażby krzak róży, który chłopak posadził specjalnie dla niej i nazwał jej imieniem.

Gdy Rochelle w końcu udało się wdrapać na szczyt schodów, przeżyła przyjemne zaskoczenie. Tuż przed nią wisiała misternie tkana zasłona w kolorze zgaszonej bieli, wykonana z przeplatających się jedwabistych pasm. Połyskująca delikatnie w miękkim świetle tkanina poruszyła serce Rochelle, tak wrażliwe na piękne i wyszukane materiały. Zaczęła się zastanawiać, czy udałoby się jej zlecić komuś wykonanie szala w podobnej technice. Chciałaby przesłać go swojej *grand-mère**, która – podobnie jak wnuczka – uwielbiała piękne tkaniny. Drobne palce gargulicy, ozdobione pierścionkami z motywem szarej lilijki, zatrzymały się kilka centymetrów od zasłony. Och, ile by dała, by móc jej dotknąć! Nie chciała tego zrobić w obawie przed podarciem materiału swoimi ostrymi szponami, jak zdarzało się to już w przeszłości.

W tym momencie panna Sue Nami machnęła swą pomarszczoną dłonią i brutalnie rozerwała delikatną zasłonę na dwie części.

– O nie, *quelle horreur***! – krzyknęła Rochelle na widok zniszczonego materiału.

– Nie panikuj, ta tkanina zrasta się na powrót w ciągu kilku sekund – parsknęła poirytowana nauczycielka i wskazała na zastęp pracowitych

---

* Babcia (fr.)

** Co za okropność! (fr.)

pająków, który już wziął się za naprawę uszkodzeń. Dwadzieścia czarnych stworzeń, nie większych od monety, wściekle przebierało nogami w przedziwnym pajęczym kankanie, błyskawicznie odtwarzając rozerwany wzór. Choć Rochelle nigdy nie przepadała zbytnio za tymi wielonożnymi istotami – głównie z powodu ich irytującego zwyczaju zagnieżdżania się na gargulcach bez pytania o pozwolenie – zgranie i prędkość ruchów pająków zrobiły na niej wrażenie.

Dormitorium znajdowało się w długim, okazałym korytarzu o ścianach pokrytych mchem, z witrażowymi oknami, przez które wpadało światło, rzucając kolorowe wielokąty na srebrną posadzkę imitującą wężową skórę. Miękki, szmaragdowozielony mech rósł nierównymi pasmami, układając się w wyraźne doliny i wzgórza. Widać było codzienne ścieżki zamieszkujących te wnętrza pająków – znaczyły je pajęcze nici porzucone tu i ówdzie na zielonych przestrzeniach.

– Pan D'nat, nasz szkolny pedagog, zajmuje się przyjmowaniem nowych uczniów – wymamrotała panna Sue Nami, prowadząc Rochelle przez korytarz aż do większego pomieszczenia znajdującego się na jego końcu. – Trzymaj się regulaminu, a z pewnością nie będziesz miała ze mną do czynienia, niedorosła istoto.

– Jestem gargulcem, a gargulce kochają regulaminy i zasady. Muszę przyznać, że czasem nawet sami układamy nowe, tak dla zabawy – odparła Rochelle zgodnie z prawdą. Wodna opiekunka skinęła tylko głową i odmaszerowała z powrotem.

Sama w obcym kraju, z nowym językiem i w nowej szkole, Rochelle nie miała wyjścia: musiała zebrać całą swoją odwagę i odważnie stawić czoła czekającym ją wyzwaniom. Z tego, co zrozumiała, następnym przystankiem na jej drodze miało być spotkanie z panem D'natem.

# ROZDZIAŁ drugi

Przybrawszy możliwie nieszczęśliwy wyraz twarzy, pan D'nat, szkielet w średnim wieku, wszedł do pomieszczenia, powłócząc nogami. Jego postać stanowiła ucieleśnienie melancholii. Nie pamiętał już, kiedy ostatni raz się uśmiechał, nie wspominając nawet o wybuchnięciu śmiechem. Stał ze zgarbionymi ramionami i próbował zwrócić na siebie uwagę mijających go uczniów. Zamiast po prostu zawołać – czy w ostateczności zagwizdać na nich – potrafił tylko głęboko wzdychać. Zaczął od niewinnych westchnień, które jednak po chwili

stały się całkiem głośne i wyraźnie poirytowane, wręcz groźne. Gdy głos nauczyciela przeszedł w ponure zawodzenie, dookoła niego zebrała się całkiem spora grupka.

– Witajcie, drodzy uczniowie. Mam nadzieję, że widok mojej kościstej twarzy i bezbarwne brzmienie mojego głosu nie wywołują w was depresji – zaczął pan D'nat bez śladu emocji. – Jeśli jednak tak się dzieje, absolutnie mnie to nie dziwi.

Ponury mężczyzna wbił wzrok w podłogę i ponownie westchnął ciężko. Uczniowie rozglądali się, wyraźnie zdezorientowani.

– Wygląda na to, że powinienem wam teraz powiedzieć, do jakich pokojów zostaliście przydzieleni – wystękał z mozołem, jak gdyby sama czynność mówienia wysysała z niego ostatnie krople energii.

Rochelle nie mogła oderwać wzroku od tej posępnej, kościstej postaci. Każdy grymas i jęk tra-

fiały ją prosto w serce. Jako gargulec miała we krwi niesienie pomocy potrzebującym i promowanie aktywnej postawy wobec życia. Przygnębieni, osowiali i ponurzy ludzie, których spotykała na swojej drodze, mogli być pewni, że zawsze usłyszą od niej kilka słów wsparcia.

– Jak pewnie zdążyliście zauważyć, dormitorium jest podzielone na część dziewczęcą i chłopięcą. Chłopcom nie wolno odwiedzać dziewcząt w ich pokojach i na odwrót – mówił pan D'nat, wskazując na rozwidlenie głównego korytarza. – A teraz po kolei... W Komnacie Upiornego Błazeństwa zamieszkają Rose i Blanche Van Sangre z Rumunii.

Na przód grupy przecisnęły się dwie wysokie, mocno zbudowane bliźniaczki o kruczoczarnych włosach i skórze w odcieniu popiołu, ubrane w identyczne, długie do ziemi suknie w kropki i czarne aksamitne peleryny.

– Czeszcz wszystkim, nazywam szę Rose Van Sangre, a to moja siostra Blanche. Jesteszmy wampirami o cygańskiej naturze, dlatego nigdy nie szpimy w jednym miejscu dłuszej nisz trzy dni – oznajmiła Rose chłodno z wyraźnie cudzoziemskim akcentem.

– Nie interesuje mnie, gdzie będziecie spać i czy w ogóle. Mnie jeszcze nie było dane przespać w spokoju choćby jednej nocy – odparł pan D'nat i westchnął dramatycznie.

– *Vraies jurnelles!* Identyczne bliźniaczki! *Gemelli identici!* – rozległ się młody męski głos i do przodu zaczęła się przepychać dość nietypowa postać.

Chłopak znany jako Trzygłowy Freddie miał przykry zwyczaj wyrzucania z siebie różnych uwag w całkowicie niekontrolowany sposób. Każda z jego trzech głów mówiła jednocześnie to samo, tyle że w innym języku. Najczęstszą kombinacją był truposki, duchielski i upioryski, ale zdarzało im się posługiwać zombijskim, goblińskim i wyjczym.

– Nie jesteszmy identyczne i bardzo nie lubimy, kiedy myli szę nas ze sobą. Jak nawet kompletny półgłówek z pewnoszcią zauważy, włosy Rose są wyraźnie mniej lszniące od moich – parsknęła Blanche ze złością, po czym chwyciła podany jej złoty klucz do pokoju i jak burza wypadła z sali wspólnej razem z siostrą.

– Komnatę Wampirów i Eliksirów zajmą nasi dyniogłowi: Marvin, James i Sam.

Trzy niewielkie istotki o kończynach cienkich jak makaron i głowach z dyń, wydrążonych i rozświe-

tlonych jak na Halloween, w podskokach podbiegły do pana D'nata i przejęły od niego swój złoty klucz.

– „Była sobie kiedyś pewna wodna kobieta, co na śniadanie jadła całego kotleta!" – zaśpiewały zgodnie, choć zupełnie bez sensu, przy basowym akompaniamencie rechotu swoich oswojonych ropuch. Wrodzone poczucie rytmu tych płazów było ogólnie znanym faktem.

Dyniogłowi, potomkowie Bezgłowego Jeźdźca, a tym samym dalecy krewni dyrektor Krewnickiej, często wchodzili w rolę klasycznego greckiego chóru – śpiewem komentowali właściwie wszystko, co zauważyli.

– W Komnacie Kłów i Orangutanów zamieszka Trzygłowy Freddie, i to sam, jako że, jak wszyscy

widzieliśmy, jego gadatliwe głowy potrafią mówić i mówić, i mówić... nawet przez sen – oznajmił pan D'nat. Freddie spuścił sześcioro oczu w zawstydzeniu.

– Z kolei Komnatę Uroku i Mroku zajmą Cy Clops i Henry Hunchback.

Nieśmiały, choć przystojny cyklop zrobił krok w stronę garbusa Henry'ego, rudego chłopaka o nienaturalnie wygiętym kręgosłupie. Razem podeszli do nauczyciela po odbiór klucza.

– Dzień dobry, panie De, nazywam się Henry i chciałem tylko powiedzieć, jak bardzo się cieszę, że jestem tutaj, w straszyceum Monster High, w szczególności dlatego, że jest tutaj trener Igor. Ten człowiek to żywa legenda! – mówił rozemocjonowany chłopak. Pan D'nat westchnął tylko i odwrócił wzrok.

– Wszyscy uwielbiają trenera Igora – drużyna kościokówki,

kibicujący im zespół potworniarek i zawodnicy rolkolady. Ciekawe, dlaczego nikt nie obdarza takim uczuciem zwykłego szkolnego pedagoga – rzucił z ubolewaniem.

– Coś z tym zrobimy – szepnęła Rochelle do Rouxa, jednocześnie podnosząc małego gryfa tak, by mógł się dobrze przyjrzeć ponurej postaci pana D'nata.

– Komnata Odpadu i Czadu została przypisana Strachowi, który zgodnie ze swoją prośbą zamieszka sam. Jest to konieczne, gdyż, jak nam powiedział, jego prywatny ołtarzyk ku czci Frankie Stein zajmuje dość sporą przestrzeń.

Strach, laleczka voodoo wielkości człowieka, miał niebieskie włosy, oczy z guzików i szmaciane ciało naszpikowane igłami. Chłopak bez pamięci zadurzył się w Frankie Stein. Nic dziwnego – w końcu to ona powołała go do życia w laboratorium swojego ojca.

– Dziękuję, proszę pana – powiedział uprzejmie Strach i ruszył w dół korytarza prowadzącego do chłopięcej części dormitorium.

– I na sam koniec Komnata Kości i Wiadomości, w której zamieszkają Venus McFlytrap, Robecca Steam i Rochelle Goyle.

Gargulica zaczęła rozglądać się w poszukiwaniu współlokatorek. Jej wzrok zatrzymał się na intrygującej dziewczynie o zielonej skórze i częściowo ogolonej głowie. Nieznajoma przekrzywiła głowę i uśmiechnęła się szeroko, a liście bluszczu, które oplatały jej nadgarstki, zadrżały radośnie.

O tak, Monster High było zdecydowanie inne od Upioryża!

# ROZDZIAŁ trzeci

– Gillary Clinton to moja idolka – tłumaczyła dziewczyna ubrana w kolorowe, punkowe ciuchy i bransoletki w kształcie splątanych liści bluszczu, przekroczywszy próg Komnaty Kości i Wiadomości. Rochelle dreptała tuż za nią. – Słyszałaś o tym, że przez tydzień głodowała w proteście przeciwko wrzucaniu toksycznych chemikaliów do oceanu?

Na ścianie naprzeciwko wejścia do pokoju wisiał portret Gillary Clinton, obecnej szefowej Międzynarodowej Federacji Potworów. Jako głowa organizacji rządzącej światem potworów

była uwielbiana przez jednych i nienawidzona przez drugich.

– Ryby bez problemu potrafią przetrwać tydzień bez jedzenia. Nie, żeby to umniejszało czyn pani Clinton. Musiałam o tym wspomnieć, gdyż jako gargulec mam obowiązek dzielenia się wszelką istotną wiedzą – powiedziała niezręcznie kamienna dziewczyna i wyciągnęła rękę na przywitanie. – A tak w ogóle nazywam się Rochelle Goyle.

– Ja jestem Venus McFlytrap, a to moja oswojona roślinka, Gryzioł – odparła jej nowa koleżanka i odrzuciła długi kosmyk zielono-różowych włosów za ramię. – Przyszłam trochę wcześniej, żeby mógł się oswoić z nowym otoczeniem. Wiesz, jakie są rośliny. Nie znoszą zmian – ciągnęła Venus, pocierając różowego jeżyka włosów na wygolonej stronie swojej głowy.

– Muszę przyznać, że ma bardzo zadbane uzębienie – powiedziała z uznaniem Rochelle, spoglądając na lśniąco białe zęby i jasnozielone dziąsła rośliny.

– Owszem, to wyjątkowy okaz – odparła Venus i dmuchnęła chmurą pomarańczowego pyłku w stronę swego zielonego pupila.

– *Pardonnez-moi*, poznajcie Rouxa, mojego oswojonego gryfa.

Zwierzak zamachał ogonem i ruszył w wesołych podskokach, by przywitać się z Gryziołem. Jednak gdy tylko szary gryf znalazł się kilka centymetrów od rośliny, ta rzuciła się na niego z zębami i ugryzła go w pyszczek – i to tak, że prawie cała mordka gryfa zniknęła w paszczy zielonego żarłoka.

– Gryzioł, nie! – krzyknęła karcąco Venus. – Bardzo cię przepraszam, niedawno skończył ząbkowanie i teraz traktuje wszystko jak gryzaki. Do tego słaby wzrok nie pomaga mu w odróżnianiu przyjaciół od posiłków. Czy Rouxowi nic się nie stało?

Rochelle wystarczył jeden rzut oka, by upewnić się, że jej pupilowi nic nie jest. Gryf wyglądał, jakby zupełnie nie przejął się tym, co zaszło. Za to roślina uśmiechała się dziwnie złośliwie.

– Nie przejmuj się, Roux jest z granitu i raczej ciężko zrobić mu krzywdę.

– Mój Gryzioł to naprawdę urocze stworzenie, kiedy bliżej go poznać, ale na twoim miejscu raczej nie zbliżałabym palców do jego liści, przynajmniej na razie – odparła Venus i zaczęła wodzić wzrokiem po pokoju. – Spójrz na to. Nie wierzę własnym oczom! Co za okropność!

Rochelle rozejrzała się niepewnie, jednak nie wykryła żadnych naruszeń regulaminu w tej niewielkiej, przytulnej przestrzeni. Gładkie ściany z piaskowca, trzy idealnie zasłane łóżka, dwa okna przeciętnej wielkości, szafa i jeden ogromny, staroświecki fotel. Ten ostatni mebel przypominał morski ukwiał: okryty mumijną gazą i kapą utkaną z wilkołaczego futra, sprawiał wrażenie, jakby chciał pochłonąć wszystko, co znajdzie się w jego zasięgu. Jednak ani fotel, ani leżąca na nim kapa tak naprawdę nie wzbudzały zastrzeżeń Rochelle.

– Ale co jest okropne? – zapytała zdziwiona. – To, że w wystroju nie użyto tkanin wyższej jakości? Musisz pamiętać, że to zwykła szkoła, a nie pięcioczaszkowy hotel – dodała poważnie.

– Halo? Nie zauważyłaś tych nieekologicznych żarówek? A gdzie są kosze do segregacji śmieci?

Co za lekkomyślność! – fuknęła Venus i tupnęła nogą z oburzeniem.

Venus McFlytrap była córką roślinnego potwora i odziedziczyła gwałtowny temperament po ojcu – dawał on o sobie znać szczególnie mocno, gdy chodziło o ochronę środowiska. Na co dzień starała się nad sobą panować, jednak czasem po prostu nie potrafiła się powstrzymać. Pod wpływem gniewu zaczynała kichać i wypuszczać chmury pyłków perswazji, co sprawiało, że zgadzali się z nią bezkrytycznie wszyscy, którzy znaleźli się w ich zasięgu. W zależności od intensywności kichnięcia, działanie to utrzymywało się od kilku minut do kilku godzin. Co gorsza, pomarańczowy pyłek bardzo trudno spierał się z ubrań.

Rochelle otworzyła usta, by wyrazić własną opinię na temat obserwacji poczynionych przez Venus, kiedy drzwi do ich pokoju otwarły się niespodziewanie i z impetem uderzyły o ścianę.

– O rany! – zawołała w uniesieniu nowo przybyła. Jej twarz pokrywały metalowe płytki i nity. – Ta szkoła to kompletne wariatkowo. Nie uwierzycie, co zobaczyłam przed chwilą w korytarzu! Prawdziwego nietoperza! A skoro mowa o korytarzach: miałam wrażenie, że nigdy się nie skończą. Zgubiłam się na amen, okropnie się zdenerwowałam, aż ciśnienie pary mi wzrosło, przez co włosy zmieniły mi się w mokre strąki, a strąki toleruję wyłącznie groszku lub fasoli – na głowie nie wyglądają dobrze!

Nieznana im dziewczyna, najwyraźniej napędzana przez silnik parowy, zaczęła nerwowo bawić się kosmykiem niebieskich włosów. Zarumieniła się, czując na sobie zdziwione spojrzenia Rochelle i Venus.

– Czyżbyśmy miały przyjemność z Robeccą Steam? – spytała z przekąsem Venus.

– Rany julek! Musiałam zabrzmieć jak... jakby mózg mi zardzewiał! Nie mogę uwierzyć, że tak po prostu wpadłam do środka bez przedstawienia się! Tak, to ja jestem Robecca Steam! Och, naprawdę nie pamiętam, kiedy ostatni raz byłam tak zdenerwowana. Może gdy brałam udział w powietrznym pokazie kaskaderskim przed ojcem, ale to było przecież wieki temu, zanim jeszcze zostałam rozmontowana na części. Swoją drogą, tak się cieszę, że poskładano mnie na nowo! – wyrzuciła z siebie jednym tchem Robecca, a z jej uszu z sykiem wytrysnął strumień gorącej pary.

Zdenerwowanie czy gniew zawsze tak się kończyły u tej półmechanicznej dziewczyny. O ile ona sama niespecjalnie się tym przejmowała, a tyle ci, którzy mieli wątpliwą przyjemność znaleźć się w zasięgu buchającej z niej pary, byli dalecy od zachwytu. Wilgotny obłok zniszczył już niejedną fryzurę i wygładził niejedną plisowaną spódniczkę. Trzeba jednak zaznaczyć, że para miała swoje dobre strony – działała bowiem jak naturalny zabieg oczyszczający i pozostawiała cerę lśniącą i nawilżoną.

– *Bonjour*, Robecca. Nazywam się Rochelle i bardzo miło mi cię poznać.

– Och, masz upioryski akcent! Szałowo!

– Szałowo? Sugerujesz, że postradałam zmysły? – spytała poważnie Rochelle.

– Gdzie tam! – Robecca wybuchła śmiechem. – Ale to z pewnością byłoby bardzo zabawne.

Szelest liści zwrócił uwagę metalicznej dziewczyny na drugą współlokatorkę, stojącą tuż obok niej.

– Cześć, jestem Venus – przywitała się zielonoskóra.

– Nie macie pojęcia, jak bardzo się cieszę, że będziemy razem mieszkać. Właśnie dlatego zdecydowałam się na wyprowadzkę ze stancji u panny Kindergrubber. Byłam przekonana, że mieszkanie w dormitorium będzie jedną wielką przygodą.

Pomyślcie, ile frajdy nas czeka! Rozmowy w nocy i plotkowanie do rana...

– Chciałabym tylko nadmienić, że osobiście chodzę spać o regularnej porze – przerwała jej Rochelle.

– A ja chciałabym zasugerować, że powinnyśmy się zbierać, jeśli nie zamierzamy się spóźnić na apel – dodała Venus, w ostatniej chwili ratując długopis przed pożarciem przez Gryzioła.

– Spóźnienie! Wolałabym, żeby to słowo przestało istnieć! Odkąd mój wewnętrzny zegar przestał działać, jestem absolutnie beznadziejna w pilnowaniu czasu. Ale obiecałam sobie, że w szkole będę się bardziej starać. Najbardziej cierpi na tym moja mechaniczna pupilka – pingwinica Penny. Przez moje roztrzepanie i życie w wiecznym niedoczasie często na śmierć o niej zapominam i po prostu ją gubię... Jeśli mam być szczera, nie jestem pewna, gdzie się teraz podziewa. Mam tylko

nadzieję, że nie zostawiłam jej w centrum handlowym albo, co gorsza, w toalecie w centrum handlowym. Penny nie przepada za publicznymi ubikacjami. Nie dziwi mnie to zresztą... większości nie zaszkodziłoby porządne czyszczenie gorącą parą – plotła trzy po trzy Robecca. W końcu usiadła w fotelu i otarła resztki skroplonej pary z czoła.

Współlokatorki potraktowały poważnie jej wyznanie i kazały jej pilnować czasu – i to dosłownie. Posadziły ją dokładnie naprzeciwko zegara i poprosiły, by dała im znać na pięć minut przed zaplanowanym wyjściem.

– O, chyba znalazłam doskonałe miejsce na urządzenie pryzmy kompostowej! – zawołała Venus, wyglądając przez okno.

– Paragraf 1, punkt 7 Kodeksu Etycznego Gargulców nakazuje mi informować osoby znajdujące się w moim otoczeniu o wszelkich możliwych

zagrożeniach. Venus, kompost to doskonała pożywka dla bakterii. Co więcej, naukowcy uważają, że to one były przyczyną zeszłorocznej epidemii zgniłego jedzenia we wschodniej Mongolii.

– Wiesz, co jeszcze stanowi doskonałą pożywkę dla bakterii? Broń jądrowa. Co ty na to, żeby zająć się tym tematem i zostawić mój kompostownik w spokoju? – prychnęła wyraźnie zirytowana Venus.

– Nie chciałam cię urazić. Pozwól mi wytłumaczyć. Osobiście nie przeszkadza mi twój kompost. Chodzi o to, że jako gargulec czuję wewnętrzny przymus ostrzegania swojego otoczenia o możliwym niebezpieczeństwie. Mam też obowiązek poprawiać wszystkich, którzy rozpowszechniają nieprawdziwe informacje. W związku z tym chciałabym zaznaczyć, że żadna broń jądrowa czy też takie elektrownie nie stanowią pożywki dla bakterii. Z ich pomocą można by za to zetrzeć całą

ludzką i potworzą społeczność z powierzchni ziemi, nie wspominając o mikrobach.

– Okej, łapię. Po prostu próbowałaś pomóc – odparła ugodowo Venus. Jej gwałtowny temperament działał w dwie strony: łatwo wpadała w gniew, lecz równie szybko potrafiła się uspokoić.

Rochelle uśmiechnęła się i podeszła do okna.

– Spójrz na te sosny. Uwielbiam tak świeże powietrze – westchnęła Venus.

– Wydaje mi się, że technicznie rzecz biorąc, powietrze zawsze jest świeże. Tlen bywa przechowywany w specjalnych pojemnikach, ale nie jestem pewna, czy można go uznać za świeższy od tego w atmosferze – zastanawiała się na głos Rochelle.

– Ciągłe poprawianie innych sprawia ci przyjemność, co? – spytała z przekąsem zielonoskóra.

– Nic na to nie poradzę. Jestem gargulcem – odparła z prostotą Rochelle, jednocześnie bezwiedniestukając kamiennym palcem w stojący na parapecie wazon. – Cenimy sobie precyzję wypowiedzi.

Stukanie w różne przedmioty stanowiło jeden z bardziej kłopotliwych nawyków gargulicy. Odruchowo przebierała palcami, gdy była pogrążona w zadumie czy żywo zaangażowana w dyskusję. Czasem zdarzało się to jej nawet podczas snu. Jak można się spodziewać, trwałe powierzchnie takie jak marmur, drewno czy metal bez problemu znosiły ciężar jej granitowych paznokci. Niestety, delikatne przedmioty, takie jak porcelanowe wazony, miały mniej szczęścia.

– Ups! – pisnęła Rochelle, gdy wazon pękł w stos porcelanowych odłamków, a znajdująca się w nim woda rozlała się z pluskiem.

– Nie przejmuj się – uspokajała ją Venus. – Nie ma bardziej przygnębiającego widoku niż cięte kwiaty. To jak pogrzeb z otwartą trumną. Rośliny w wazonie wydają się żywe, ale tak naprawdę są już martwe.

Jej rozważania przerwał krzyk robotycznej dziewczyny.

– Jakim cudem to się znowu stało? – jęknęła przerażona, a strumienie pary zaczęły tryskać z jej uszu jak szalone.

Jakimś sposobem wzrok posadzonej przed zegarem Robekki ześliznął się niżej, na jej odrzutowe buty, co przypomniało jej, że miała je naoliwić. Kiedy wzięła się do pracy, zwyczajnie zapomniała o pilnowaniu godziny.

– Pamiętacie, jak mówiłyście, że mam dać znać, kiedy będziemy miały pięć minut do wyjścia? No więc ta chwila była dziesięć minut temu! – mówiła rozgorączkowana dziewczyna.

– Ruszajcie się! Nie mamy ani sekundy do stracenia!

Dziewczyny zerwały się do wyjścia.

– Naprawdę musimy biec? – jęknęła Rochelle, z trudem doganiając koleżanki.

Gargulce są niezwykle szybkie podczas lotu, jednak po powierzchni ziemi poruszają się raczej wolno. Ich kamienne nogi nie są stworzone do szybkiego przebierania; przede wszystkim stanowią solidną podporę – i niewiele więcej.

– Co ja narobiłam! Przepraszam was, potwornice! Byłam przekonana, że tym razem mi się uda. Jak widać, myliłam się. Moje spóźnialstwo jest nieuleczalne! – biadoliła Robecca, prowadząc całą trójkę w dół różowymi schodami.

– Serio, wyluzuj. Najwyżej spóźnimy się na apel, i co z tego? Zawsze powtarzam, że nie ma sensu pocić się ze stresu nad drobnostkami – oświadczyła Venus luzacko.

– Czy próbujesz mi powiedzieć, że jestem spocona i powinnam się wytrzeć? Nie mamy na to czasu! – jęknęła Robecca. – Kurczaki! Zaczynam rdzewieć na samą myśl o tym, jakie okropne pierwsze wrażenie zrobię na wszystkich w Wampiauli!

# ROZDZIAŁ czwarty

Jako najstarsze dziecko i jedyna córka w ogrodzie rodziców Venus była nie tylko przyzwyczajona do kierowania innymi, ale wręcz oczekiwała od nich ślepego posłuszeństwa.

– Hej, laski, stójcie! Musimy się uspokoić. Zgubiłyśmy się w szkole, a nie na wschodnich rubieżach Syberii. Rozejrzyjmy się spokojnie, a na pewno znajdziemy plan tego piętra albo jakiś drogowskaz – tłumaczyła racjonalnie.

Krańcowo zdenerwowane i zmęczone biegiem Robecca i Rochelle kiwnęły tylko głowami w mil-

czeniu i posłusznie skręciły za koleżanką w kolejną odnogę korytarza. Venus odruchowo zwróciła uwagę na ostrzegawczy kamień nagrobny, który informował, że zakazane jest spoufalanie się z nietoperzami, gdyż wywołuje to zazdrość i niesnaski w nietoperzej społeczności. Dziewczyna zdziwiła się szczerze – nigdy nie podejrzewała, że te latające ssaki mogą być tak niedojrzałe emocjonalnie, przynajmniej w porównaniu z nastoletnimi potworami.

– Te wielkie, puste korytarze... Aż ciarki mnie oblazły – szepnęła do Rochelle Robecca. – Gdzie się wszyscy podziali?

– Chyba nie zrozumiałam, o co ci chodzi. Co to takiego ciarki? Jakiś rodzaj owada?

– Nie, nie. To wtedy, kiedy czegoś się boisz tak bardzo, że po karku zaczynają ściekać ci strużki potu i cała aż się trzęsiesz – próbowała wyjaśnić Robecca.

– Hm, to brzmi bardziej jak objawy porażenia prądem... poważna sprawa.

– Laski! – zawołała Venus, zaalarmowana dziwną, odpychającą wonią.

W całym swoim życiu dziewczyna nie spotkała się z tak wstrętnym zapachem – dziwnie wilgotnym i skisłym jednocześnie, jak połączenie starej kiszonej kapusty i wczorajszej wątróbki. Był przy tym tak mocny, że miała wrażenie, jakby maltretował każdy włosek rosnący wewnątrz jej nozdrzy. Jakby sam zapach nie był wystarczająco zaskakujący, po chwili za plecami potworzyc rozległ się dziwny odgłos, jakby drapanie gałązek po betonie.

– Robecca? Rochelle? – zawołała ponownie Venus, tym razem głośniej.

Na dźwięk własnych imion dziewczyny zerknęły za siebie. To, co zobaczyły, wprawiło je w osłupienie.

– Co to ma być?! – krzyknęła Robecca i przytknęła dłoń do ust w dramatycznym geście.

– *Quelle horreur!* – pisnęła Rochelle, krzywiąc się z odrazą.

Venus poczuła zastrzyk adrenaliny. Każdy mięsień jej ciała drżał, gdy powoli zaczęła się obracać, by stawić czoła wielkiej niewiadomej, która czaiła się tuż za nią. Jej oczom ukazał się chorobliwie otyły troll o zrogowaciałej skórze i pokrytej trądzikiem twarzy, wzdłuż której zwisały tłuste kosmyki włosów. Dziewczyna z trudem powstrzymała odruch wymiotny. Przygarbiona bestia zaryczała groźnie, obnażając zaostrzone zęby pokryte gęstą śliną.

– Myśl, Venus – szepnęła do siebie pod nosem Venus. – Co na twoim miejscu zrobiłby Doktor Duchlittle?

– Kto być Doktor Chuchlittle? – warknął troll łamaną angielszczyzną. Ślina z jego ust obficie kapała na posadzkę.

– Eee... To znany potworzy specjalista od zachowania zwierząt – niezręcznie próbowała wytłumaczyć Venus. – Może miałeś okazję przeczytać którąś z jego książek, chociaż szczerze w to wątpię.

– Co wy robić na korytarz? – ostro przerwał jej potwór i ponownie złowrogo błysnął kłami.

– Jesteśmy nowymi uczennicami i zgubiłyśmy drogę do Wampiauli – ostrożnie odparła Venus.

– Może pan jest nam w stanie pomóc? – wtrąciła uprzejmie Rochelle.

Troll wpatrywał się w nie tępo przez kilka sekund, po czym uniósł rękę, wysunął palec zakoń-

czony długim, zniszczonym pazurem i wskazał w dół korytarza.

– Wampiaula tam – warknął potwór, a strużka śliny z kącika ust zaczęła ściekać mu po nierównym podbródku.

– Dzięki, bardzo nam pomogłeś. Szkoda tylko, że najpierw na mnie nakrzyczałeś – odparła sucho Venus.

– Następnym razem cię zjem – mruknął troll i uśmiechnął się złośliwie.

– Oki, nie ma sprawy. To jesteśmy umówieni – parsknęła dziewczyna i odciągnęła koleżanki od potwora.

– Czy dobrze zrozumiałam? On zagroził, że nas pożre? – spytała Rochelle z niedowierzaniem.

– Tak właśnie, ale niespecjalnie bym się tym przejmowała. Jest mocny w gębie, ale nie byłby w stanie nas w niej zmieścić. Ledwo wcisnąłby do ust własną rękę – odparła z prostotą Venus.

– Ja cię kręcę! Bycie pożartą albo chociaż nadgryzioną przez trolla brzmi okropnie! – pisnęła Robecca.

– Cześć, widzę, że nie tylko ja się spóźniłem – przywitał je nieznajomy chłopak w koszuli w kratę i przytrzymał dziewczynom otwarte drzwi do Wampiauli.

Venus zmierzyła go badawczym wzrokiem. Wydał jej się zaskakująco normalny. I to tak bardzo, że było to wręcz... nienormalne.

Zielonoskóra przytknęła palec do ust, spojrzała wymownie na szepczące Rochelle i Robeccę i weszła do auli jako pierwsza. Fioletowo-złote wnętrze było urządzone w stylu egipskim. Scenę otaczały posągi faraonów i sfinksów. Venus skupiła się na poszukiwaniu wolnych miejsc, nie zwróciła więc specjalnej uwagi na wystrój, za to Robecca była nim kompletnie zachwycona. Rozglądała się olśniona po błyszczącym, rozświetlonym wnętrzu. Z kolei Rochelle wydało się ono okropnie kiczowate.

Nie znalazłszy wolnych krzeseł, Venus popchnęła koleżanki w kierunku wnęki przy ścianie na końcu jednego z przejść między rzędami.

– Jak może wiecie, my, gargulce, uwielbiamy siedzieć na podłodze, bo w ten sposób nie ryzykujemy roztrzaskania mebli. Muszę wam jednak przypomnieć, że to, co teraz robimy, jest niezgodne ze szkolną instrukcją postępowania przeciwpożarowego – syknęła Rochelle zaaferowana.

– Przyjęłam do wiadomości – skwitowała Venus i kucnęła na podłodze.

– Ale zabawa! Czuję się jak na koloniach – pisnęła podniecona Robecca.

Choć podłoga była zimna i twarda, ze swego miejsca dziewczyny miały doskonały widok na scenę. Panna Sue Nami, pan D'nat i pozostali członkowie grona nauczycielskiego, których nie

znały, oraz kilka trolli przyglądało się uprzejmie, jak dyrektor Krewnicka bezskutecznie próbuje sobie przypomnieć, co chciała powiedzieć. Słowa najwyraźniej wyparowały jej z głowy niczym para z garnka gotującej się wody. Co chwilę zaczynała zdanie tylko po to, by po chwili przerwać i zacząć zastanawiać się na nowo. Kiedy już prawie zapomniała o tym, że w ogóle czegoś nie pamięta, słowa wróciły do niej z mocą wodospadu.

– Witajcie w straszyceum Monster High! Okropnie się cieszę, że możemy was przywitać w naszych skromnych progach. Jestem pewna, że ten rok szkolny będzie wyjątkowo potworny. Nie ma nic bardziej ekscytującego niż początek nowego semestru. Początek to przecież moment, w którym wszystko jest możliwe. Wystarczy tylko mocno czegoś chcieć i skupić się na celu. A jako osoba, która ma wyjątkowe problemy z koncentracją po ostatnim bliskim spotkaniu z błyskawi-

cą, mogę was zapewnić, że to niełatwa, ale bardzo przydatna umiejętność – powiedziała dyrektor Krewnicka. Nagle grymas zwątpienia przebiegł po jej twarzy. – Co ja właściwie mówiłam? A tak! Gorąco zachęcam was do udziału w zajęciach naszego kółka teatralnego. Gazeta „Krwawe Wieści" ogłosiła ostatnie przedstawienie *Krzyk nocy letniej* „potwornym hitem"!

– Proszę pani, nie doszliśmy jeszcze do zajęć pozaszkolnych – powiedziała półgębkiem panna Sue Nami, po czym podeszła do dyrektor Krewnickiej i wyszeptała jej do ucha: – Dopiero zaczęła pani witać uczniów.

– Dziękuję, moja droga. Twoja pamięć doskonale służy mi wtedy, gdy moja własna zawodzi – podziękowała uprzejmie szkolna przełożona i ponownie zwróciła się do zgromadzonej w Wampiauli młodzieży. – Ogromnie cieszymy się, mogąc przywitać naszych nowych pierwszoklasistów z zagranicy! Jako że wielu naszych uczniów przybywa do szkoły z odległych miejsc, przerobiliśmy drugie piętro wschodniego skrzydła na dormitorium! Mam nadzieję, że szybko się tam zadomowicie!

Uprzejme oklaski wypełniły Wampiaulę. Venus szturchnęła Robeccę i Rochelle. Dyrektor Krewnicka mówiła o nich!

– O innych niespodziankach, które czekają was w tym roku, opowiedzą wasze koleżanki, Frankie Stein i Draculaura. Zapraszam!

Dwie śliczne dziewczyny ostrożnie weszły po schodach wiodących na scenę. Frankie Stein, wnuczka Frankensteina, miała ręcznie pozszywaną skórę w kolorze miętowych lodów. Draculaura, córka Draculi, była wesołą, różowowłosą nastolatką o pięknych śnieżnobiałych kłach.

– Cześć wszystkim! Dla tych, którzy mnie nie znają – nazywam się Frankie Stein, a to moja do-

bra przyjaciółka, Draculaura. Wydaje mi się, że jeszcze wczoraj to ja byłam nowym potworem w szkole, totalnie zagubionym w gąszczu korytarzy. A teraz? Dziś stoję przed wami na tej scenie, by przedstawić wam innego nowego potwora... czy raczej naszą nową potworną nauczycielkę – zaczęła zielonoskóra dziewczyna, po czym oddała głos Draculaurze.

– Przywitajcie pannę Sylphię Flapper! Przyjechała do nas prosto z Truposzech, by uczyć podstaw Smoczego Szeptactwa – oznajmiła wampirzyca głosem pełnym entuzjazmu.

Urodziwa, subtelna smocza postać wystąpiła z grupy trolli i pomachała do uczniów.

– Panna Flapper nie przybyła do nas sama – dodała Frankie. – Razem z nią do szkolnych pracowników dołączy grupa starszych trolli, które pod kierownictwem panny Sue Nami będą patrolować korytarze.

– My – trolle! Wy – słuchać zasad! – ryknęły zgodnie tłuste, podstarzałe bestie, wymachując groźnie pięściami.

– Jak pewnie słyszycie, trolle mają jeszcze pewne braki w naszym języku – szybko dodała Draculaura. Pod nosem wymamrotała: – Nie wspominając o brakach w higienie włosów i paznokci.

Trolle, szczególnie te starsze, były doskonałymi strażnikami porządku i dyscypliny – z wyłączeniem reżimu związanego z dbaniem o własny wygląd. Gorąco protestowały przed obcinaniem włosów (wliczając w to, niestety, włoski porastające ich nozdrza) czy pazurów. Co gorsza, odmawiały też kąpieli częstszej niż raz na dwa tygodnie – stąd na ich skórze gromadziła się gruba warstwa tłustego brudu.

Nowa nauczycielka podeszła do mównicy, a Frankie i Draculaura grzecznie się usunęły.

– Witajcie, drogie potwory i potworzyce – przywitała się zaskakująco miękkim i zarazem prze-

nikliwym głosem. Audytorium słuchało jak zaczarowane. – Jestem zaszczycona, że mogę być tu dzisiaj z wami, choć oczywiście miło wspominam moich uczniów i kolegów nauczycieli z Truposzech. Jak miło z ich strony, że wysłali mnie tutaj razem z grupą tych wspaniałych trolli. To nie tylko wybitni specjaliści w dziedzinie pilnowania porządku na szkolnych korytarzach, ale także poskramiacze dziko żyjących smoków. Jestem przekonana, że będziecie zachwyceni ich towarzystwem, tak jak ja.

Jedwabisty ton głosu panny Flapper doskonale pasował do jej wyjątkowej urody. Połyskliwa skóra, pełne usta, rozjarzone zielone oczy i długie krwistoczerwone włosy czyniły z niej naprawdę zapierającą dech w piersi kobietę. Jak u wszystkich europejskich smoków, nie było u niej widać ani śladu łusek czy ogona. Miała na sobie szykowną, modną kreację, dopasowaną tak, by nie gniotła jej delikatnych, półprzezroczystych skrzydeł.

– Kurczę blaszka! Ależ ona jest piękna – wymamrotała pod nosem Robecca.

– Ciekawe, jakiego peelingu używa – zastanawiała się na głos Rochelle, bezwiednie pocierając swoje kamienne kolana. – Jej skóra wydaje się taka miękka.

– Nie mogę uwierzyć, że to prawdziwa zaklinaczka smoków. Ich ciała zwykle są całe poparzone i pełne blizn po latach zmagań z bestiami – szepnęła Venus.

Do mikrofonu ponownie podeszła Frankie Stein.

– Jak część z was już wie, zbliża się Doroczny Bal Upiorów. O samej imprezie opowiedzą wam więcej obecnie nam panujący Królowa i Król Wrzasku, czyli Cleo de Nile i Deuce Gorgon.

Tłum potwornych uczniów wył z radości, gdy na scenę wchodziła egipska księżniczka, mumia o kawowej skórze i złotych pasemkach w czarnych włosach. Tuż za nią kroczył przystojny chłopak w ciemnych okularach. Na jego głowie wiło się kłębowisko węży.

– Cześć, dzieciaki. Jestem Cleo, a to mój chłopak Deuce. Tak jak zawsze, bal odbędzie się dzień po egzaminach kwartalnych na najstarszym cmentarzysku Salem, czyli Jęczydusznie. To najważniejsze wydarzenie w imprezowym kalendarzu roku, więc proszę wszystkich o zadbanie o stosowny wygląd. Innymi słowy, mówimy „nie" matowej sierści, pożółkłym kłom i wysuszonym łuskom.

– Impreza zacznie się punktualnie o jedenastej wieczorem i zakończy o świcie – zdążył jeszcze dorzucić Deuce, nim panna Sue Nami nieuważnym ruchem strąciła mu okulary.

Chłopak nie zdążył ich podnieść, kiedy na linii jego wzroku stanął troll. Wielka, śmierdząca postać w jednej chwili zmieniła się w kamień.

– No nie, znowu to samo! – stęknął Deuce z irytacją.

– I na tym kończymy dzisiejszy apel. Wszystkie niedorosłe istoty są proszone o opuszczenie auli w spokoju i bez przepychania – zarządziła panna Sue Nami i zaczęła strząsać z siebie wodę niczym mokry pies. – Plany lekcji zostały rozesłane na wasze adresy e-mailowe. Jeżeli ktoś nie posiada laptopa czy telefonu z dostępem do internetu, radzę jak najszybciej zaprzyjaźnić się z kimś, kto ma takie urządzenie, i sprawdzić swoją pocztę.

Korytarze szkoły zalała powódź rozentuzjazmowanych potworów, nerwowo stukających w ekrany swoich iTrumien.

– Kurczaki! Ale ścisk – westchnęła Robecca, którą tłum wepchnął na jej nowe-

go kolegę z dormitorium, Cy Clopsa, z taką siłą, że aż zaskrzypiały jej śruby w kolanie. – Ojejku! Bardzo przepraszam. Jak widać, najwyższa pora naoliwić stawy!

– Tłum stanowi zagrożenie dla życia i zdrowia – powiedziała z powagą Rochelle. – Łatwo o złamane szpony, posiniaczone łapy czy poszarpane futro.

– Eee... bez przesady. To tylko stado nastolatków, a nie Transylwania w czasie pełni. Myślę, że damy sobie radę – odparła Venus.

– Cóż, tobie wolno ignorować ostrzeżenia gargulca, ale gargulcowi nigdy nie wolno lekceważyć możliwości ostrzeżenia innych o niebezpieczeństwie – wyjaśniła z gracją Rochelle.

– Mądrość jak z ciasteczka z wróżbą! – parsknęła zielonoskóra, jednocześnie wyjmując swój telefon z torby na książki wykonanej z recyklingu.

– Niemożliwe. Gargulce nie wierzą ani w przepowiadanie przyszłości, ani we wróżebne ciastecz-

ka – odparła śmiertelnie poważnie dziewczyna. – Co nie przeszkadza nam w konsumowaniu dań kuchni chińskiej. Po prostu ją uwielbiamy.

– Ale ekstra! Mamy takie same plany lekcji! – zawołała ucieszona Robecca, zerkając na ekrany komórek swoich koleżanek.

– Prawie takie same. Nie dostałam się na Smocze Szeptactwo – westchnęła niezadowolona Venus. – Szkoda, bo gady po prostu mnie kochają.

– Za to mnie nie bardzo. Poza tym nigdy nie rozumiałam samej idei szeptactwa. Mam wrażenie, że ludzie mówią szeptem tylko te rzeczy, które chcieliby ukryć przed innymi – wyjaśniła Robecca.

– Cześć, jesteście nowe, prawda? – przerwała im Frankie Stein i podeszła do dziewczyn. Towarzyszyła jej nastoletnia zombie.

– Aż tak bardzo to widać? – odparła Venus.

– Cóż, jesteście ostatnimi potworami, które zostały na korytarzu, nie licząc trolli. Mam na imię Frankie, a moja przyjaciółka nazywa się Ghoulia Yelps.

– Grrrrn – wymamrotała Ghoulia ku pewnemu zdziwieniu Rochelle, Robekki i Venus.

– Cóż, podejrzewam, że nie mówicie po zombijsku – uśmiechnęła się do nich Frankie.

– *Bonjour*, jestem Rochelle Goyle, a to są Robecca Steam i Venus McFlytrap. Mieszkamy razem w nowym dormitorium.

– Ale czad! Jestem pewna, że wam się tu spodoba. Dajcie znać, gdybyście czegokolwiek potrzebowały.

– A czy wiesz, jak trafić na Upiorną Literaturę z doktorem Skrytostrygą? – spytała Rochelle, zerkając na plan lekcji.

– Musicie dojść do Strachoteki, czyli prosto, w prawo przy nagrobku i w lewo przy bawolich rogach na ścianie. Powodzenia! – życzyła Frankie, po czym ruszyła korytarzem z Ghoulią u boku.

# ROZDZIAŁ piąty

Strachoteka była zimnym, wietrznym pomieszczeniem pełnym kotów z kurzu, trzeszczących mebli i najpiękniejszych potwornych opowieści, jakie znał świat. Poukładane gatunkami książki kryły historie wszystkich możliwych stworzeń – od tych znanych po wyjątkowo rzadkie i dziwaczne. Tomy te tworzyły nie tyle Upiorną Literaturę, co całą Straszystorię – historię potworów opowiedzianą przez nie same.

Doktor Skrytostryga wszedł do Strachoteki równo z dzwonkiem obwieszczającym początek lekcji. Miał na sobie tweedowy garnitur z brązowymi łata-

mi na łokciach, a w ręku trzymał duży skórzany neseser. W tym stroju ten morski potwór w średnim wieku doskonale pasował do stereotypu profesora literatury – zalatującego delikatnie słoną wodą.

– Witam was, drodzy uczniowie – przywitał klasę, po czym opuścił wzrok i przez dobre pół minuty przyglądał się nastolatkom bez słowa. Następnie wyjął fajkę z kieszeni marynarki i kontynuował:
– Jestem zdania, że chwila ciszy przed zanurzeniem się w świat literatury doskonale oczyszcza psychikę.

– *Pardonnez-moi*, doktorze Skrytostrygo, ale na terenie Monster High palenie jest surowo wzbronione. Poza tym to bardzo niezdrowy zwyczaj – oznajmiła pewnym tonem Rochelle.

– Racja, palenie szkodzi, i to nie tylko palącemu. Od dymu okropnie więdnę – dodała szeptem Venus.

– To nie jest zwykła fajka, młoda przedstawicielko rodu gargulców, choć może tak wygląda. W rzeczywistości jest to rzeźbiony kawałek sera, który zamierzam spożyć w trakcie przerwy śniadaniowej. Cóż, praca nauczyciela przypomina bardzo pracę aktora: obydwie profesje wymagają używania odpowiednich rekwizytów dla nadania charakteru postaciom. Ta serowa fajka doskonale podkreśla osobowość mojego bohatera, doktora Skrytostrygi, wielkiego intelektualisty.

– O rajuśku, profesor gada bardziej jak artysta cyrkowy niż nauczyciel – półgębkiem powiedziała Robecca do koleżanek.

– A teraz czas na mój wielki monolog, znany również jako odczytywanie listy obecności – kontynuował profesor, po czym odłożył fajkę i chwycił dziennik. – Lagoona Blue? Draculaura? Jackson Jekyll lub Holt Hyde? Deuce Gorgon?

Imiona uczniów odbijały się echem po obszernym pomieszczeniu. Rochelle kątem oka zerkała na Deuce'a Gorgona, którego twarz ciągle przesłaniały okulary. Wydawał się jej nie tylko przystojny, ale i intrygujący – poniekąd dlatego, że nie był wykuty z granitu. Poza tym była jedną z niewielu osób w całej szkole, które mogły bez obaw spojrzeć mu w oczy. Jako że jej ciało było wykonane z kamienia, jego wężowy wzrok nie mógł zrobić jej krzywdy.

– Cleo de Nile? – ciągnął nauczyciel.

Na dźwięk imienia dziewczyny Deuce'a Rochelle otrząsnęła się z rozmarzenia. No tak! Przecież ona też jest zajęta! Kilka dni wcześniej w Upioryżu pożegnała się ze swoim ukochanym chłopakiem, gargulcem Garrottem. Na samo wspomnienie poczuła wypełniające ją poczucie winy.

Podczas gdy Rochelle rozważała w myślach moralne aspekty swojego nowego zauroczenia, siedząca opok niej Venus aż kipiała ze złości na widok sterty toreb z zakupami, które stały przy ławce Cleo de Nile.

– Patrzcie na to! Ile papieru! Jeszcze nie widziałam, żeby ktoś był tak nieodpowiedzialny. Ta dziewczyna to morderczyni drzew – parsknęła gniewnie do Robekki i Rochelle.

– Spuść parę, Venus. Nie uważasz, że to dosyć ostry zarzut? Może zwyczajnie zapomniała zabrać swoją płócienną ekotorbę z domu? Ja ciągle o czymś zapominam – odparła łagodząco Robecca.

Jednak Venus nie należała do potworów, które łatwo uspokoić. Nim Robecca zdążyła się obejrzeć, jej zielonoskóra koleżanka wymachiwała ręką w powietrzu, próbując zwrócić na siebie uwagę Cleo.

– Hej, księżniczko, mogę o coś zapytać? Jestem Venus, to mój pierwszy dzień w Monster High.

– Miło mi – odparła chłodno mumia.

– Z tego, co widzę, byłaś dziś rano na dużych zakupach. Pewnie miałaś przy tym mnóstwo zabawy. Szkoda tylko, że nie zabrałaś ze sobą torby wielokrotnego użytku. Oszczędziłabyś w ten sposób życie co najmniej jednego drzewa!

– O czym ty w ogóle mówisz, dziewczyno?! Czy według ciebie wyglądam na strażnika przyrody albo pracownika firmy segregującej odpady?

– Jeszcze udowodnię ci, że to dwa z najbardziej szlachetnych zawodów na świecie. To strażnicy i śmieciarze stają na linii frontu, by każdego dnia walczyć z wrogami środowiska naturalnego, takimi jak ty! Czy ty zdajesz sobie w ogóle sprawę z tego, że bez drzew nie mielibyśmy czym oddychać? – spytała Venus oskarżycielskim tonem, a więzy bluszczu oplatającego jej nadgarstki aż się zacieśniły.

– „Walcz z całych sił! W jej gardło się wpij!" – zanucił samotny dyniogłowy usadowiony w ławce w rogu pomieszczenia.

– Nie wiesz, z kim zadzierasz, chwaście – syknęła Cleo, po czym zwróciła się do Clawdeen Wolf: – Nie będzie z niej potworniarki i nie przyjmiemy jej do naszego klubu.

Stowarzyszenie Nocnych Słowików zrzeszało szkolną śmietankę towarzyską. Każda z dziewczyn chciała do niego należeć, ale niewielu dane było dostąpić tego zaszczytu.

– Ej, rybko, starczy już – wtrąciła Lagoona Blue. – Przecież dziewczyna walczy w słusznej sprawie. Wszyscy powinniśmy dbać o środowisko.

– Niech inni dbają za mnie – parsknęła Cleo, patrząc Venus prosto w oczy. Zielonoskóra poczerwieniała z gniewu.

– Venus, boję się o twoje ciśnienie. Wyglądasz, jakbyś zaraz miała eksplodować. Radziłabym ci nieco ochłonąć i dokończyć tę dyskusję w innym czasie – przerwała im Rochelle.

– Nasza planeta nie ma więcej czasu! – zawołała Venus w uniesieniu, w dramatycznym geście wyrzucając ręce w powietrze, aż zatrząsł się oplatający ją winobluszcz.

– Trudno, jak dla mnie musi jeszcze poczekać. Do zobaczenia nigdy – wycedziła Cleo.

Venus poczuła swędzenie w nosie, nadęła się i kichnęła jak z armaty. Jasnopomarańczowa chmura pyłku opadła na egipską mumię, dziwnym sposobem omijając pozostałych uczniów.

– Słońce, nic ci nie jest? Nie wybrudziłaś sobie ubrania? – spytał zatroskany Deuce w obawie, że Cleo bardziej przejmie się zniszczoną sukienką niż czymkolwiek innym.

– Wszystko w porządku – odparła dziewczyna nienaturalnie ciepłym i przyjaznym tonem, po czym zwróciła się do Venus: – Dziękuję, że poka-

załaś mi, co robię źle. Masz absolutną rację, na zakupy zawsze powinno się zabierać ekologiczną torbę wielokrotnego użytku. Muszę koniecznie złożyć zamówienie na pozłacaną siatkę – starczy mi na całą wieczność! Jestem ci ogromnie wdzięczna, Venus!

– Torba ze szczerego złota, nawet pozłacana, będzie zbyt ciężka, by ją nosić – wymamrotała pod nosem Rochelle.

Coraz bardziej przejęty Deuce przyłożył dłoń do czoła mumii.

– Kochanie, pytam serio, zaczynam się martwić. Naprawdę się nie gniewasz, że nakichała na ciebie pyłkiem?

Doktor Skrytostryga, do tej pory obserwujący wydarzenia z boku, niczym widz teatralnego przedstawienia, zdecydował, że czas na jego interwencję.

– Pozwól, że zgadnę… Venus McFlytrap?

– Tak, to ja, proszę pana.

– Stosowanie pyłków perswazji na terenie szkoły jest surowo zabronione.

– Wiem i bardzo przepraszam – odparła dziewczyna, wyraźnie zakłopotana. Wstydziła się, że nie potrafiła zapanować nad swoimi pyłkami już pierwszego dnia szkoły.

– Jako szczery wielbiciel ludzi z pasją muszę docenić twoje zaangażowanie. Jednocześnie jako nauczyciel nie mogę pozostawić twojego wybuchu bez konsekwencji – oznajmił doktor Skrytostryga. – Trolle, gdzie jesteście? Czy któryś z was mógłby jak najszybciej zjawić się w Strachotece? – zawołał przez drzwi na korytarz.

Chwilę później w pomieszczeniu był już wyjątkowo gruby, siwowłosy potwór o pulsującym, czerwonym nosie. Rozejrzał się po klasie i podążając za spojrzeniem profesora zatrzymał wzrok na Venus. Bestia chwiejnym krokiem zbliżyła się do niej, otarła ręką kapiący nos i gestem nakazała dziewczynie podążać za sobą w stronę wyjścia.

– *Bon chance*[*] – wyszeptała Rochelle i pomachała koleżance różową chusteczką z wyszytymi inicjałami.

– Nie daj mu się pożreć – dodała Robecca.

– O to bym się nie martwił – odezwał się cichy głos za ich plecami. – Trolle są wegetarianami.

Głos należał do Cy Clopsa. Nieśmiały chłopak jak zwykle stał ze spuszczoną głową i niezręcznie skrzyżowanymi ramionami.

– Uff, dobrze wiedzieć – westchnęła z ulgą Robecca.

Chłopak skinął głową i uśmiechnął się niepewnie.

Gdy znaleźli się w głównym korytarzu, troll ponownie użył swojej brudnej dłoni jako chus-

* Powodzenia (fr.)

teczki do nosa. Widok ten był tak odpychający, że nawet harda Venus odwróciła wzrok z obrzydzeniem.

– Wiesz, co robię zawsze, kiedy złapię przeziębienie? Zażywam duże dawki witaminy C, przyjmuję dużo płynów i – słuchaj uważnie – zawsze wydmuchuję nos w chusteczkę higieniczną. Może spróbuj? Jestem pewna, że nie tylko szybko wrócisz do zdrowia, ale i poszerzysz grono znajomych. Uwierz mi, nic tak nie odstrasza potencjalnych przyjaciół jak pełna glutów ręka wyciągnięta na przywitanie.

– Nie mieć czasu. Ty musieć słuchać. Tu złe rzeczy – stęknął cicho troll.

– Czy próbujesz mi powiedzieć, że muszę za karę zostać po lekcjach?

– Zła rzecz tu. Szkoła zniszczona – pisnął troll, rozglądając się podejrzliwie.

– Nie rozumiem.

– Już wcześniej tak być. Tam. Teraz tu. Złe rzeczy. Ty słuchać. Zatrzymać zła rzecz.

– Przykro mi, ale nie mówię po trollijsku. Nie mam pojęcia, o co ci chodzi.

– Za późno – wymamrotał starszawy troll o czerwonym nosie, po czym obrócił się i wmieszał w grupę przechodzących kolegów.

# ROZDZIAŁ szósty

Z wyglądu pan Bezklepka, w skrócie pan Klepka, był z pewnością najbardziej odrzucającym nauczycielem w całej szkole. Metalowa maska, nadmiernie rozrośnięty podbródek i spiczaste, elfie uszy nie stanowiły specjalnie atrakcyjnej mieszanki. Pan Klepka był szalonym naukowcem, który doskonale odnalazł się jako nauczyciel Szalonej Chemii w Laboratorium Absolutnie Pomylonego Naukowca, pomieszczeniu pełnym palników, mikroskopów i fiolek ze składnikami eliksirów. Z pełną świadomością lekkomyślności i brawury, które nieodłącznie towarzyszą nastolatkom, profesor przechowywał wszelkie niebezpieczne substancje pod kluczem.

– Botanika, czyli nauka o roślinach, to jeden z moich ulubionych działów nauki jako takiej, bo dał światu homeopatyczną zombifikację – wyjaśnił pan Klepka, po czym wybuchł szalonym śmiechem. – A teraz, moje zuchy, czy ktoś z was wie, co otrzymujemy po podgrzaniu żaro-serum do stu stopni Fahrenheita?

– Bardzo gorące żaro-serum? – zażartował Henry Hunchback.

– Pan Klepka nie lubi dowcipów – szepnął Strach, nie przerywając gryzmolenia imienia i nazwiska Frankie Stein na okładce swojego zeszytu.

– Żałosne, Hunchback, doprawdy żałosne! – skwitował sucho pan Klepka.

Trio dyniogłowych zanuciło w tyle klasy: „Jakie serum? Co za serum? Zaraz będzie wielkie larum!”.

– A co na to panna McFlytrap? Jesteś rośliną, moja droga, czyż nie? Jestem pewien, że znasz wszelkie właściwości żaro-krzewu.

– Eee... hm... – wymamrotała niewyraźnie Venus, dosłownie więdnąc pod przenikliwym spojrzeniem nauczyciela.

– Związek ten zmienia się w serum zombifikacyjne dla zimnokrwistych stworzeń – rozległ się cichy głos.

– Masz rację, Clops – ucieszył się pan Klepka, z hukiem uderzył metalową tacką o blat i wybuchł histerycznym śmiechem. – Nic tak nie cieszy jak prawidłowa odpowiedź!

– Jak doskonale naoliwione muszą być trybiki w głowie tego młodego cyklopa. Skąd on to wiedział? – zastanowiła się na głos Robecca, zerkając na chorobliwie nieśmiałego chłopca.

– Może jego rodzice są botanikami... albo spędza wieczory na lekturze Potworopedii – podsunęła Rochelle. – Trudno zgadnąć.

Robecca nie odrywała wzroku od Cy, podczas gdy Henry nachylił się do niego i klepnął go w ramię.

– Niezły jesteś, stary! Dobrze mieć kumpla, od którego będzie można ściągać! A tak w ogóle, to chciałem cię zapytać, czy planujesz dołączyć do drużyny rolkolady.

– Nie myślałem o tym – odparł Cy, skręcając się pod badawczym spojrzeniem Robekki.

– To się zastanów. Treningi są naprawdę ekstra!

W tym samym momencie spotkały się spojrzenia dwojga oczu metalowej dziewczyny i jednego oka cyklopa. Robecca uśmiechnęła się przyjaźnie, przyprawiając chłopaka o kolejne uderzenie adrenaliny.

– To jak? Dasz się namówić? – nie odpuszczał Henry.

– Co? Eee... Okej, niech będzie – wybełkotał Cy, kompletnie nieświadomy, na co właściwie wyraził zgodę.

– Świetnie! Jestem pewien, że polubisz naszego kapitana, Clawda Wolfa. To prawdziwy wilk alfa!

Po Nienormalnej Nauce nadszedł czas na zajęcia złochowawcze i w końcu na Wychowanie Meta-fizyczne. Ku uciesze Cy, Robecca również zdecydowała się dołączyć do drużyny rolkolady. W grun-

cie rzeczy nie było w tym nic dziwnego – należała bowiem do grupy oryginalnych twórców gry, którzy wymyślili ją jeszcze w osiemnastym wieku. Oczywiście wszystko to działo się, jeszcze zanim została rozmontowana. Rochelle świetnie radziła sobie w rolkolandzie, ale postanowiła dołączyć do Venus na zajęciach z Upiornych Pląsów. Obydwie nie mogły się doczekać pierwszej lekcji mumby – czyli rumby w wykonaniu mumii.

Słabo oświetlone, kręte i podstępne ścieżki labiryntu, wycięte równiutko w gęstym żywopłocie, zajmowały całkiem imponującą powierzchnię. Wysokie, gładko przystrzyżone krzaki dawały nowo przybyłym złudne uczucie bezpieczeństwa. Znalazłszy się wewnątrz labiryntu, nie zdawali sobie bowiem sprawy z jego rozmiarów. Nietoperze przycupnięte na metalowych relingach tuż pod sufitem pełniły rolę ekipy filmowej, dokumentującej każdy ruch graczy.

Choć większa część roślinnej łamigłówki była wyjątkowo zadbana, kilka bardziej odległych zakamarków służyło dyrektor Krewnickiej jako zastępcze magazyny. Wypełniały je więc stare ławki i zardzewiałe szkolne sprzęty. Nikomu tu nie przeszkadzały – szkolny labirynt spełniał wy-

łącznie funkcję treningową. Prawdziwe rozgrywki odbywały się gdzie indziej.

Zawsze pierwsza do wszystkiego Robecca bez większego zastanowienia weszła do labiryntu. Nie minęła chwila i już śmigała między ciemnozielonymi ścianami na swoich odrzutowych butach, od czasu do czasu pozwalając sobie nawet na drobną powietrzną akrobację. Umiejętność wzniesienia się nad żywopłot uczyniła z niej momentalnie ulubienicę całej drużyny; z lotu ptaka z łatwością odnajdywała bowiem zagubionych kolegów i koleżanki.

Gdy w końcu rozbrzmiał dzwonek obwieszczający koniec zajęć Wychowania Meta-fizycznego, Robecca gwałtownie wyleciała z labiryntu. Z dymiącymi butami wypadła na korytarz i desperacko próbowała znaleźć kogoś z działającym zegarkiem albo iTrumną. Zostawiła swój telefon na którejś z poprzednich lekcji i niestety nie mogła sobie przypomnieć na której.

– Och, przepraszam! Czy możesz mi powiedzieć, która jest godzina? Na pewno jestem już spóźniona! – zawołała wreszcie z ulgą na widok Frankie Stein i jej wilkołaczej przyjaciółki, Clawdeen Wolf.

– Spokojnie, po co ten pośpiech? – przyjaźnie uśmiechnęła się Frankie. Z kolei Clawdeen na widok buchającej z Robekki pary zrobiła krok do tyłu.

– Przepraszam, nie bierz tego do siebie – powiedziała szybko. – Po prostu boję się, że z moich włosów zrobi się jedno wielkie wilgotne afro.

– Jasne, rozumiem! To jak, wiecie, która godzina? Jestem absolutnie pewna, że na coś się spóźniłam, ale nie pamiętam, co to mogło być!

Frankie zerknęła na zegarek, kiedy nagle nie wiadomo skąd rozległ się cichy głos.

– Jest równo piąta po południu – odezwał się Cy Clops. W rękach trzymał wyraźnie nadąsaną pin-

gwinicę Penny. – Chyba zgubiłaś swoją koleżankę w labiryncie – dodał nieśmiało, po czym postawił obrażonego ptaka na podłodze i zniknął tak szybko, jak się pojawił.

– Rety kotlety! Penny, okropnie cię przepraszam! – zawołała Robecca do swojej mechanicznej pupilki.

– A tak z innej beczki: dziś odbędzie się pierwsze spotkanie Stowarzyszenia Nocnych Słowików. Może ty albo twoje współlokatorki jesteście zainteresowane? Robimy razem różne rzeczy, od powtarzania zasad dobrego wychowania do manicure'u – rzuciła Frankie.

Robecca zawahała się.

– Dzięki za zaproszenie, brzmi bardzo zachęcająco, ale Rochelle i ja nie chciałybyśmy zostawić Venus na lodzie. Nie ma się co oszukiwać: nasza roślinna współlokatorka nie zapałała wielką przyjaźnią do Cleo – powiedziała wreszcie.

– Ach, no tak. Już zdążyłam zapomnieć o tej akcji z kichaniem i pyłkami – westchnęła Clawdeen, kiwając głową z politowaniem. – Wiesz, jakie są mumie. Nawet drobnostkę będą ci wypominać całą wieczność.

Robecca również westchnęła cicho, patrząc w ślad za oddalającymi się dziewczynami. Nie mogła się doczekać, aż zacznie brać udział w życiu szkoły!

# ROZDZIAŁ siódmy

Następnego dnia w porze lunchu zjadalnia Monster High aż huczała od opowieści i plotek na temat intrygującej, doskonale ubranej i absolutnie fantastycznej panny Flapper. Na swoim plotkarskim blogu *Upiorne Ale Prawdziwe* napisała o niej nawet fioletowowłosa Spectra Vondergeist, ulubiony duch całego straszyceum! Wszyscy uczniowie – zarówno potwory, jak i potworzyce – byli wyraźnie zauroczeni nową członkinią grona nauczycielskiego. No, może z kilkoma wyjątkami. Venus, Robecca i Rochelle nie miały czasu przej-

mować się panną Flapper, bo ich uwagę przyciągał ktoś inny.

– Nie owijajmy w bawełnę. On potrzebuje naszej pomocy! – powiedziała stanowczo Rochelle. Od kilku minut niespokojnie stukała palcami w blat stołu, robiąc niewielkie wgłębienia na jego powierzchni.

– Ale z czym mamy mu pomóc? – spytała rzeczowo Venus.

– Musimy wyciągnąć go z tej deprechy! *Regardez!*[*] Przecież on zaraz utopi się w talerzu własnej zupy!

* Spójrzcie! (fr.)

Venus lekceważąco przewróciła oczami, po czym obróciła się i spojrzała na stolik, przy którym siedział pan D'nat. Mina jej zrzedła. Nauczyciel faktycznie próbował zanurzyć kościstą twarz w talerzu pełnym zupy groszkowej.

– Zachowajmy spokój. Siedzi przy stoliku z panną Sue Nami. W jej towarzystwie każdy ma prawo poczuć, że wariuje... – stwierdziła Venus.

– Spójrz na jego ubranie! Tylko potwór, który stracił wszelką ochotę do życia, założyłby na siebie coś takiego. Poza tym wcześniej, kiedy ziewnął, zauważyłam, że jego zęby są szarawe. Wszyscy wiedzą, że gdy szkielet przestaje dbać o biel swojego uzębienia, to znak, że osiągnął absolutne dno.

– Kto tak mówi? Twój dentysta? – spytała nieufnie zielonoskóra.

– Mogę się założyć, że gargulce świetnie sprawdzałyby się w tym zawodzie – dodała gorliwie Robecca.

– I masz rację. Nie potrzebujemy do tego żadnych instrumentów, wszystko jesteśmy w stanie zrobić małymi palcami naszych dłoni, bo... – odparła z dumą Rochelle, po czym nagle przerwała. Spojrzała zaintrygowana na pannę Sue Nami.

Wiecznie przemoczona kobieta, której profil do złudzenia przypominał kosz na śmieci, zerwała się z krzesła, gwałtownie wymachując rękami. Nie mogła zbyt długo siedzieć w jednym miejscu, bo zwykle kończyło się to drobnym podtopieniem okolicy, czasem wezbrana woda potrafiła nawet wywołać niewielką powódź. Dlatego też, kiedy tylko usłużny troll zabrał jej tacę, panna Sue Nami zaczęła się otrzepywać, intensywnie potrząsając każdą częścią ciała – od palców stóp po czubek głowy. Ku nieszczęściu pana D'nata, jego lunchu i trolla jej raptowne ruchy wywołały rzęsisty prysznic. Oczywiście kobieta udawała, że nic się nie stało. Najwyraź-

niej nie miała też zamiaru przeprosić za swoje zachowanie.

– Zgodnie z Paragrafem 7, punktem 9 Kodeksu Etycznego Gargulców, kiedy gargulec postanowi komuś pomóc, powinien działać szybko i sprawnie – oznajmiła Rochelle, rzuciła serwetkę i podeszła prosto do posępnego kościotrupa.

Chód dziewczyny nie należał do pełnych wdzięku – ciężkie kroki granitowych nóg podkreślały tylko jej determinację. Widać było, że nastolatka traktuje swoją misję z pełną powagą i zaangażowaniem.

– *Bonjour*, *monsieur* D'nat. Nazywam się Rochelle Goyle i jestem nową uczennicą. Przybyłam z Upioryża.

– Z Upioryża? Zawsze chciałem tam pojechać! Przejść się wzdłuż waszej słynnej rzeki, spróbować śmierdzącego sera, może nawet założyć berecik?

– Nie jestem przekonana, czy dobrze by pan w nim wyglądał, ale mogę się założyć, że posmakowałyby panu nasze sery – odparła poważnie dziewczyna.

– To w gruncie rzeczy nieistotne. I tak nigdy nie pojadę do Upioryża. Równie dobrze już teraz mogę dodać to do mojej listy – westchnął nauczyciel.

– *Pardonnez-moi?* O jakiej liście mowa? – zapytała Rochelle.

– Prowadzę własną listę przyszłych rozczarowań. Umieszczam na niej wszystko to, co chciałbym zrobić, a czego nigdy nie zrobię. Oczywiście będę tego żałował aż do śmierci. Mam tylko nadzieję, że nie umrę zbyt szybko. Lista jest jeszcze zdecydowanie niepełna.

– Nie chcę być niegrzeczna, ale czy pan nie jest już martwy?

– Technicznie rzecz biorąc, owszem. Chodzi mi raczej o śmierć mojej duszy.

– To niezbyt optymistyczne, panie D'nat.

– Nie ty pierwsza mi to mówisz – mruknął kościotrup.

– Mnie ludzie też często zwracają uwagę. Mówią, że jestem ciężka, ale w gruncie rzeczy chyba chodzi im o coś innego – powiedziała Rochelle, zerkając na swoje zgrabne, lecz zadziwiająco twarde ciało. – *Monsieur* D'nat, chciałam zapytać, czy nie pozwoliłby mi pan pomóc sobie w odświeżeniu garderoby. Można by trochę ożywić pański styl... Nie żeby te poplamione brązowe spodnie i wyciągnięty brązowy sweter były złe, tylko...

– Uczniom nie wolno angażować się w prywatne życie nauczycieli – odparł szkielet.

– Czy cytuje pan faktyczny punkt regulaminu, czy to tylko sugestia z pana strony? – zainteresowała się Rochelle.

– Cóż, nie znajdziesz tego w regulaminie... To raczej niepisana zasada, której wszyscy tutaj prze-

strzegają. A teraz, jeśli pozwolisz, chciałbym wrócić do użalania się nad samym sobą. Nie wyrobiłem jeszcze normy narzekania na dziś.

– Jako gargulec przywiązuję do przepisów i regulaminów ogromną wagę. Stąd też jasno oddzielam zasady od zwykłych sugestii czy nawet utartych zwyczajów. Skoro nie jest to oficjalnie zabronione, nie sądzę, by stało się coś złego, gdybym panu pomogła. Proszę się zgodzić! Nalegam!

– W porządku – wybąkał wyraźnie zakłopotany pan D'nat. – Ale przerwiemy natychmiast, kiedy poczujesz, że mój wrodzony pesymizm wpływa na ciebie negatywnie w jakikolwiek sposób. W końcu rozpacz i młodość nie idą w parze.

– Wydaje mi się, że nie do końca wie pan, jak to jest być nastolatkiem – mruknęła pod nosem Rochelle i wyciągnęła drobną dłoń w kierunku nauczyciela. – Proszę wybaczyć chłód moich

palców. Tak to już jest, kiedy ma się granitowe ciało.

– W takim razie ja z góry przepraszam za moją beznadziejną osobowość. Tak to już jest, kiedy jest się mną.

# ROZDZIAŁ ÓSMY

Niebo nad Monster High zasnuły chmury. Wraz z nastaniem nocy ze snu obudziły się nietoperze, głodne polowania. Po całodniowym odpoczynku pragnęły tylko jak najszybciej napchać się owadami i pająkami. Przelatywały korytarze wzdłuż i wszerz z nadstawionymi uszami i otwartymi pyszczkami, gwałtownie machając przy tym skrzydłami.

Na drugim piętrze wschodniego skrzydła szkoły mieszkańcy dormitorium szykowali się do nocnego spoczynku. Blanche i Rose Van Sangre, posłuszne swoim cygańskim korzeniom, zdję-

ły pościel z łóżek, by rozbić niewielki obóz pod drzewem na szkolnym trawniku. Dyniogłowi, wyczerpani całodziennym śpiewem i plotkowaniem, spali już smacznie od dobrych kilku godzin. U ich boku pochrapywały oswojone ropuchy. Trzygłowy Freddie czytał książkę *Na cmentarzysku bez zmian* – bestseller „New Fuj Timesa" – w trzech różnych wersjach językowych. Strach jak zwykle wpatrywał się z zafascynowaniem w zdjęcia Frankie Stein i bawił się przy tym szpilkami wbitymi w ciało. Henry Hunchback leżał już w łóżku, w wyobraźni analizując urodę panny Sylphii Flapper, a jego kumpel Cy wspominał spotkanie z pewną wyjątkowo nabuzowaną – i to dosłownie – mechaniczną dziewczyną.

– Ale dzisiaj było ekstra! Naprawdę nie pamiętam, kiedy miałam lepszy dzień. No, może nie licząc tego, że zapomniałam o Penny – powiedziała podekscytowana Robecca, po czym zerknęła

na ubraną w piżamę pingwinicę, która drzemała u jej boku. – Jak dobrze, że ona nie potrafi się na mnie długo gniewać!

– Szczerze mówiąc, odnoszę wrażenie, że jest wręcz przeciwnie. Chyba dlatego ciągle chodzi taka naburmuszona – wtrąciła Rochelle. – A może po prostu wydaje mi się taka w porównaniu z moim wiecznie szczęśliwym Rouxem!

– Ałć! Gryzioł, fe! Nie gryziemy palców pani! – pisnęła Venus. – Nie wiem, czy uprzedzałam, żebyście nie zostawiały na wierzchu żadnej bi-

żuterii. Gryziołowi zdarzyło się już połknąć kolczyk czy dwa. Na szczęście nie były drogie. Co ciekawe, najbardziej smakują mu pozłacane ozdoby. Pewnie łatwiej mu trawić metale szlachetne.

– Skoro mowa o jedzeniu, słyszałam dziś, że trolle są wegetarianami! Nie musimy się już bać, że nas pożrą za spóźnienie na lekcję – wtrąciła Robecca, ziewając ze zgrzytem.

– Nawiasem mówiąc, ten troll, który wyprowadził mnie z lekcji z doktorem Skrytostrygą, zachowywał się naprawdę dziwacznie – powiedziała Venus.

– Racja, ciągle nie mogę uwierzyć, że nie kazał ci zostać za karę po lekcjach.

– To też, ale on chyba próbował mi powiedzieć coś dziwnego. Był strasznie roztrzęsiony i okropnie bredził. Nie mogłam zrozumieć, o co właściwie mu chodzi – opowiadała zielonoskóra.

– Cóż, nasze trolle nie należą do najmłodszych. Mogą też nie mieć aktualnej książeczki szczepień. Bredzenie jak w malignie to częsty objaw zarażenia wścieklizną. Muszę koniecznie się tym zająć – oznajmiła stanowczo Rochelle, po czym obróciła się na bok i zgasiła światło.

Słońce dopiero co wynurzyło się znad horyzontu, kiedy Robecca wyskoczyła z łóżka jak oparzona. Z jej uszu i nosa tryskały strumienie gorącej pary pod ciśnieniem, automatycznie burząc jej fryzurę. Dziewczyna zaczęła niespokojnie krążyć po pokoju. Lewą ręką przyciskała do siebie pogrążoną jeszcze we śnie i ubraną w piżamkę Penny.

– Rany julek! Która godzina? Co opuściłam? Gdzie jest Penny? – bełkotała bezładnie, jeszcze wyraźnie niewybudzona.

– Robecca! *Qu'est-ce que tu fais?** Jest wpół do siódmej!

– Ojejku! Obudziłam się przekonana, że przespałam pół dnia.

– Spokojnie, jest obrzydliwie wcześnie rano. Słońce ledwo co wstało. Wracaj do łóżka! – burknęła Venus spod kołdry.

– Po co? Wtedy na pewno zaśpię na lekcje. A tak może chociaż raz uda mi się być gdzieś na czas. Zabiorę Penny na poranną przechadzkę i oliwienie. Spotkajmy się za godzinę w Creepaterii.

Gdy za dziewczyną zamknęły się drzwi, Rochelle tknęło przeczucie, że wcale nie zobaczą się na śniadaniu. Niezależnie od tego, ile Robecca miała czasu, i tak zawsze było go dla niej za mało. Punktualność po prostu nie była w jej stylu. Gdyby Rochelle miała trochę mniej racjonalny umysł,

---

* Co ty wyprawiasz? (fr.)

pewnie stwierdziłaby, że spóźnianie się Robekki jest zapisane w gwiazdach.

Przeczucie Rochelle okazało się słuszne. Minęły dwie godziny, a Robecca nie pojawiła się ani na śniadaniu, ani na porannym apelu. Młoda gargulica bezskutecznie przeszukiwała wzrokiem całą Wampiaulę w poszukiwaniu współlokatorki. Ujrzała jednak inną znajomą, bardzo nieszczęśliwą postać.

– *Bonjour*, *monsieur* D'nat.

– Witaj, Rochelle – wymamrotał w odpowiedzi nauczyciel, nie odrywając oczu od podłogi.

– Czy przeglądał pan może katalog Aberzombie & Witch, który zostawiłam na pana biurku? Mam nadzieję, że spodobają się panu najnowsze trendy w modzie męskiej.

– Tak, bardzo dziękuję za ten wspaniały prezent – odparł pan D'nat z ciężkim westchnieniem. – Jeszcze nigdy nie dostałem niczego w podarunku.

Rochelle pokręciła głową ze smutkiem. Nagle jej uwagę odwrócił jakiś hałas. Wychodzący z Creepaterii Deuce Gorgon wpadł niechcący na pryszczatego trolla i obaj runęli na ziemię. Dziewczyna ruszyła bez zastanowienia w ich kierunku.

– Deuce! *Boo la la!* Nic ci nie jest? – spytała z troską.

– Tak, spokojnie – odparł chłopak i uśmiechnął się, patrząc jej prosto w twarz.

– Masz takie piękne zielone oczy. Są absolutnie *fantastique!* – Rochelle plotła trzy po trzy, wyraźnie porażona bliskością obiektu westchnień. – Pasują kolorem do węży na twojej głowie.

– Moje okulary! – krzyknął przerażony Deuce. Szybko zasłonił oczy i po omacku zaczął szukać ochronnych szkieł na podłodze.

– Są tutaj – powiedziała Rochelle i wręczyła mu je ostrożnie.

– Co za szczęście, że na ciebie trafiłem. Zmienianie potworów w kamień nie przysparza mi popularności w straszyceum – odparł chłopak.

– To ja uważam się za szczęściarę, bo mogłam spojrzeć ci prosto w oczy – zaszczebiotała Rochelle. – Jesteś największym przystojniakiem, jakiego widziałam. Gdybym była tobą, przeglądałabym się w lustrze dzień i noc.

Niespodziewanie obok nich pojawiła się Venus. Objęła Rochelle w pasie i wepchnęła się między nią a chłopaka.

– Siema, Deuce! Rochelle miała niedawno leczenie kanałowe, dostała potężną dawkę znieczulenia, dlatego wygaduje takie głupoty. Dzisiaj rano próbowała oświadczyć się mojej roślince.

– Nieprawda! Nawiasem mówiąc, jestem prawie pewna, że Gryzioł pożarł mój złoty zegarek.

Z jego doniczki dobiegało znajome tykanie – zaprotestowała Rochelle, podczas gdy przyjaciółka próbowała zatkać jej usta pędami bluszczu.

– Eee... Lepiej już pójdziemy – wybąkała niepewnie Venus.

– Nie sądziłem, że gargulce miewają problemy z zębami – zdziwił się Deuce.

– Tym z Upioryża się to zdarza – skłamała Venus. – To przez ten... śmierdzący ser. Jedzą go tonami, a niewiele osób zdaje sobie sprawę, jak on działa na zęby.

– Przecież to kompletna bzdura – przerwała jej Rochelle, uwolniwszy się w końcu od niesfornych pnączy. – Ser nie ma nic do higieny jamy ustnej, a gargulce nie mają problemów z próchnicą czy kamieniem nazębnym. Często jednak ściera nam się szkliwo, dlatego właśnie większość z nas – nawet Roux – w nocy nosi specjalne aparaty zapobiegające zgrzytaniu zębów.

Deuce wybuchł śmiechem.

– No to nieźle! – rzucił rozbawiony i oddalił się w sobie tylko znanym kierunku.

– Dzięki. Śmiej się! Bo przecież to wszystko to jedna wielka farsa! – zawołała za nim poirytowana Venus.

– Jaka znowu farsa? O czym ty mówisz? Swoją drogą gargulce nie słyną z poczucia humoru – oznajmiła obrażonym tonem Rochelle.

– Co jest z tobą? Próbowałam ci pomóc! Masz pojęcie, co mu nagadałaś? „Och, jakie masz piękne oczy! Jaki jesteś boski! Gdybym była tobą, ciągle gapiłabym się w lustro!" Zupełnie jakby władzę nad twoimi ustami przejęła bohaterka brazylijskiej opery mydlanej! I to okropnie kiczowatej, w stylu Esmeraldy con Dios, która wypowiada tylko zdania w stylu „Kocham cię nad życie, Victorze Marcoplis, i prędzej umrę, niż cię opuszczę", oczywiście

z oczami pełnymi łez i wzrokiem utkwionym prosto w obiektyw.

– Oglądałaś za dużo telewizji jako dziecko – parsknęła Rochelle.

– Albo ty za mało – odparowała Venus, jednocześnie poprawiając poplątany winobluszcz.

– Odłóżmy tę dyskusję na później, inaczej spóźnimy się na zajęcia złochowawcze. Gdzie podziewa się Robecca?

– Powinnyśmy poważnie rozważyć wzięcie jej na smycz. Dla jej własnego dobra.

– Przecież to nie ropucha – odparła Rochelle, w której głowie od razu pojawił się obraz dyniogłowych prowadzących na spacer swoje oswojone płazy.

– Laska, ropuchy zwykle nie chodzą na smyczy, wiesz o tym, prawda? Tych trzech dyniogłowych to po prostu dziwolągi – parsknęła Venus.

Dziewczyny popatrzyły na siebie i z uśmiechem na ustach ruszyły zatłoczonym korytarzem.

# ROZDZIAŁ dziewiąty

Panna Flapper lekkim krokiem stąpała po fioletowo-zielonej posadzce. Za drobną kobietą podążał zastęp wiernych trolli. Każdy z nich prowadził małego zielonego smoka, nie większego od kota. Delikatna i eteryczna nauczycielka wydawała się unosić w powietrzu z każdym pełnym wdzięku krokiem. Od stóp do głów odziana w jasne, zwiewne szaty z Przerażancji kobieta podchodziła do każdego ucznia po kolei i szeptała mu coś do ucha. Nie sposób było zrozumieć, co mówiła, ale musiało być to coś znaczącego. Twarze nastolatków na

moment traciły wszelki wyraz, a po chwili wracały do normalności.

– Jak myślisz, o czym ona tak szepcze? – zwróciła się Venus do Rochelle. Przyjaciółki prawie wpadły na trójkę dyniogłowych, spieszących za piękną nauczycielką.

– To tylko domysł, ale niewykluczone, że o szczepionkach swoich trolli.

– „Panna Flapper jest taka piękna, że ze wzruszenia serce nam pęka" – zaintonowali Sam, James i Marvin, stając przed nauczycielką.

– Och, to dyniogłowi! – ucieszyła się kobieta. – Jaka szkoda, że nie mamy razem lekcji. Musicie koniecznie dołączyć do mojej Potwornej Ligi Potwornego Rozwoju. Słowo „potworny" zostało powtórzone dla podkreślenia tego, że dla nas potwór jest najważniejszy – wyjaśniła panna Flapper, po czym nachyliła się nad trójką dyniogłowych i zaczęła mówić do nich szeptem.

Gdy skończyła, z uśmiechem ruszyła przed siebie, zatrzymując się na chwilę przy każdym mijanym potworze, od Draculaury do Cleo de Nile. W końcu stanęła twarzą w twarz z Rochelle i nachyliła się nad nią. Dziewczynę otoczył zapach różanych perfum; przywiódł jej na myśl Garrotta i przepiękny krzak, który chłopak wyhodował specjalnie dla niej. Kobieta zbliżyła swe kształtne, różowe usta do ucha potworzycy, kiedy w korytarzu rozległ się podniesiony głos. Rochelle odruchowo obróciła głowę.

– A niech to gęś kopnie! Znowu jestem spóźniona! – Wołanie Robekki odbiło się echem po całym korytarzu.

– Nasza zguba się znalazła – zauważyła z przekąsem Venus. Panna Flapper ominęła ją zgrabnie i podeszła do Ghoulii Yelps.

– Jak babcię kocham, nie mam pojęcia, co się ze mną stało! – jęknęła mechaniczna dziewczyna na widok współlokatorek i ruszyła w ich kierunku.

Cy Clops wyrósł przed nią jak spod ziemi. Nie zdążyła wyhamować i ponownie wpadła na niego z impetem. Tym razem jednak zderzenie musiało być dla niego wyjątkowo mało przyjemne – metalowe płytki w ciele zdenerwowanej Robekki były gorące.

– Au!

– Przepraszam! – zawołała przerażona.

– Cisza na korytarzu! Cisza! – warknął jeden z trolli.

– Już jestem spóźniona! To chyba gorsze wykroczenie niż yyy... głośniejsza rozmowa – zaprotestowała Robecca.

– Ty iść do klasy albo ja cię zjeść! – zagroził troll gniewnym tonem.

– Och, przestań udawać. Wiem, że jesteście wegetarianami – odparowała nastolatka.

– Halo? Ja jestem rośliną – wtrąciła Venus i pociągnęła Robeccę za rękę. – Pospiesz się, bo nie zdążymy na zajęcia złochowawcze.

– *Je ne comprends pas!** Jak ty to robisz, że nigdy nie możesz nigdzie zdążyć? – chciała wiedzieć Rochelle.

– Kurcze blaszka, zastanawiałam się nad tym tyle razy, ale dalej nie jestem pewna... Podejrzewam, że po prostu zbyt łatwo ulegam rozproszeniu. Kiedy coś mnie zainteresuje, zapominam o bożym świecie, aż w końcu nagle czuję jakby uderzenie pioruna i już wiem, że jestem spóźniona... tylko że nie mam zielonego pojęcia, która jest godzina i gdzie powinnam być.

– Może powinnaś zainwestować w zegarek na rękę? Albo od razu dwa? – zaproponowała Rochelle.

– Może i powinnam, ale co z tego, skoro zaraz przestaną działać? Para wodna jest dla nich

* Nie rozumiem! (fr.)

zabójcza. Mam kilka i noszę je czasem, ale tylko dla ozdoby.

– Cóż, przynajmniej masz zegarek – bąknęła Rochelle, rzucając Venus wymowne spojrzenie.

– Witajcie na zajęciach złochowawczych – przywitała uczniów panna Kindergrubber i i niecierpliwie rozejrzała się po klasie. – Co za przykry widok! Dzisiejsza młodość to tylko skóra i kości! – westchnęła leciwa wiedźma w staromodnej sukni i mocno używanej chuście na głowie. – Macie szczęście, bo na dziś zaplanowałam naukę gotowania przepysznej i pożywnej chrupiącej zupy językowej według jednego z najbardziej znanych dragoniańskich przepisów. Uprzedzając wasze pytania – nie, w tym daniu nie znajdziecie prawdziwych języków! O, proszę, oto i Robecca. Dzień dobry, moje dziecko.

– Przepraszam, że przerywam, panno Kindergrubber, ale jaki sens ma gotowanie tej właśnie zupy, skoro żadne z nas nie jest smokiem? – spytała Venus z pewnym obrzydzeniem.

– Moja droga, nie trzeba od razu ziać ogniem, żeby docenić jej smak! Ale masz rację, dla każdego smoka ta potrawa to wyjątkowy rarytas – odparła z uśmiechem kobieta, po czym schyliła się, by wyciągnąć ogromny kocioł spod pulpitu, i otworzyła grubą, oprawioną w skórę książkę kucharską.

Przepis na chrupiącą zupę językową nie należał do najłatwiejszych – a przynajmniej takie wrażenie odnieśli uczniowie, bo panna Kindergrubber stękała ciężko przy każdym pytaniu i kręciła nosem, gdy któryś z młodych potworów pomylił składniki lub kolejność ich dodawania. Robecca wrzucała właśnie oczar do swojego kociołka, bacznie obserwowana przez Cy. Chłopak siedział tuż za nią, mógł więc bez problemu przyglądać się jej poczynaniom. Ale jak wszystkie cyklopy miał spory problem z widzeniem peryferyjnym i właściwą oceną odległości.

– Jestem garbusem i moja głowa znajduje się na poziomie twojego pępka, ale nawet ja widzę jasno i wyraźnie, że masz coś do tej małej lokomotywy – zaczepił go Henry Hunchback.

– Nie wiem, o czym mówisz – odparł szybko Cy i wbił spojrzenie swojego jedynego oka w bulgoczący garnek. – I nie nazywaj jej tak. Ma na imię Robecca.

– A ja nie mam nic do dodania – skwitował chłopak z niewinnym uśmieszkiem.

Na koniec lekcji Panna Kindergrubber spróbowała zupy każdego z uczniów, po czym ogłosiła,

że najlepiej z zadaniem poradził sobie Trzygłowy Freddie. Nikt nie powiedział tego na głos, ale chyba nie była to ocena całkiem sprawiedliwa – w końcu chłopak miał do dyspozycji trzy mózgi, a przeciętny potwór czy potworzyca tylko jeden.

– Bardzo miło mnie zaskoczyłeś, Freddie – wyznała autentycznie zachwycona nauczycielka. – Bez obaw podałabym tę zupę najbardziej wybrednym smokom, jakie znam.

– *Merci beaucoup*, dziękuję, *grazie* – odparł z wyraźną dumą trzygłowy chłopak.

Tymczasem trójka dyniogłowych, odłożywszy swoje chochle, zajęła się rozdawaniem zaproszeń na spotkania Potwornej Ligi Potwornego Rozwoju. Relacjonowali przy tym najświeższe plotki usłyszane na korytarzu podczas przerwy, jak zwykle śpiewem i jak zwykle odrobinę fałszując: „Frankie Stein twierdzi, że PLPR rządzi. Tak samo Cleo – kto wstąpi, nie zbłądzi!”.

– James – zwróciła się Rochelle do jednego z dyniogłowych. – Co właściwie robicie na spotkaniach klubu?

– „Tańczymy, śpiewamy, potwory rozwijamy” – odparł śpiewnie chłopak.

– Nie gniewaj się, ale to mało konkretna odpowiedź. Możesz zdradzić jakieś szczegóły?

– „Najważniejsze są potwory, a nie pospolite stwory. Teraz musisz nam wybaczyć, pilnie musimy się napić”.

– Przecież to kompletne brednie! – wymamrotała Venus do Rochelle. – No, może oprócz tego o piciu. Sama czuję się nieco przywiędła.

Później, tego samego popołudnia po zakończeniu lekcji, Rochelle postanowiła zwołać niewielkie zebranie w niezwykle istotnej sprawie.

– *Je suis tellement excitée** – oznajmiła z entuzjazmem. U jej stóp bawił się niesforny Roux. – Gotowe?

– Jasne! Nie mogę się doczekać, aż zobaczę, co jest za zasłoną! – stwierdziła podekscytowana Robecca. Machnęła przy tym ręką, napinając jedwabny sznurek, który łączył jej prawe ramię z lewym nadgarstkiem Venus.

– Miałam przeczucie, że spodoba ci się chodzenie na sznurku, gdy już się do niego przyzwyczaisz – rzuciła z zadowoleniem zielonoskóra.

– Pewnie, to świetny pomysł. Penny też tak uważa – przyznała Robecca, spoglądając na naburmuszoną pingwnicę, przywiązaną do jej lewego buta.

– Naprawdę mam nadzieję, że spodoba się wam to, co przygotowałam. I oczywiście panu D'natowi również – powiedziała Rochelle z szerokim uśmiechem zdradzającym podniecenie. Następnie szarpnęła za żółty sznurek i... – *Et voilà*! – zawołała.

---

* Jestem niezwykle podekscytowana (fr.)

– Czy to kapelusz? – spytała poważnie Venus.

– Co? Nie, to garnitur. Nie widać?

– Cóż, na pewno widać, że szyłaś go samodzielnie – odparła dziewczyna.

– Chciałam, żeby był *très magnifique*[*], jedyny w swoim rodzaju – wyjaśniła Rochelle.

– Hm, w takim razie ci się udało. Nigdy nie widziałam czegoś podobnego – oceniła dyplomatycznie Robecca.

– Ojej, naprawdę jest tak strasznie? – jęknęła wyraźnie podłamana Rochelle.

– Wygląda, jakby dorwało się do niego stado zdziczałych kotów – oznajmiła bezceremonialnie Venus.

– Ej! – zaprotestowała Robecca. – Nie tak ostro, siostro!

– Nie, ona ma rację. Za każdym razem, kiedy dotykałam materiału, moje szpony zaczepiały

* Bardzo piękny (fr.)

o jakąś luźną nitkę czy załamanie materiału... Zanim się spostrzegłam, zdążyłam zmarnować dwanaście metrów tkaniny.

– Kochana Rochelle, dlaczego nie poprosiłaś nas o pomoc? – spytała z uśmiechem Robecca.

– Paragraf 3, punkt 5 Kodeksu Etycznego Gargulców: „Nie wymagaj od innych, by zrobili za ciebie coś, z czym możesz sobie poradzić samodzielnie”– wyrecytowała kamienna dziewczyna.

– Ale ty wyraźnie sobie nie radzisz! – zauważyła Venus. – Mówię poważnie! To, co przydarzyło się temu biednemu, bezbronnemu kawałkowi materiału, to jakaś tragedia!

Rochelle zawstydzona opuściła głowę. Jak mogła się łudzić, że da sobie radę sama?

– Nie martw się. Chyba już zapomniałaś, że chodzimy do szkoły z jedną najbardziej uzdolnionych krawcowych w całym stanie Oregon.

– Venus, może i potrafię przyszyć guzik albo dwa, ale zdecydowanie lepiej idzie mi nitowanie metalu niż praca z igłą i nitką – wtrąciła Robecca.

– Nie o tobie mówię. Chodzi mi o Frankie Stein. Ta dziewczyna potrafi zszyć swoje części ciała. Jestem pewna, że poradzi sobie z czymś tak banalnym jak garnitur.

– Myślisz, że zgodziłaby się pomóc? – zastanowiła się na głos Rochelle.

– Na pewno nie zaszkodzi zapytać – stwierdziła Robecca z uśmiechem.

– Technicznie rzecz biorąc, nie masz racji. Mogę podać wiele przykładów, w których zadawanie pytań działało na czyjąś szkodę – powiedziała kamienna dziewczyna.

– Dzięki, nie trzeba. Dalej, laski, zbieramy się. Musimy znaleźć zieloną potworzycę – zarządziła Venus i otworzyła drzwi.

– Przecież już po lekcjach – wtrąciła Robecca.

Venus uśmiechnęła się zawadiacko.

– I dlatego właśnie ruszamy do miasta – powiedziała.

Kiedy trio wyszło na korytarz dormitorium, Rochelle zwróciła uwagę na zaskakujące ubytki w delikatnej kurtynie oddzielającej tę część szkoły. Zatrzymała się na chwilę, by przyjrzeć się jej dokładniej, i ze zdziwieniem zauważyła, że ponad połowa pracowitych czarnych pająków zniknęła ze swoich stanowisk.

– Czemu tak się przyglądasz? – spytała Robecca.

– Pająkom. Wygląda na to, że wielu brakuje.

– Może są na urlopie – przerwała jej Venus podejrzanie szybko.

– Venus, czy wypuszczałaś Gryzioła na korytarz? – spytała Rochelle oskarżycielskim tonem.

– Nie mam pojęcia, o czym mówisz – niezręcznie broniła się zielonoskóra i prawie pędem puściła się w dół różowych schodów.

W głównym korytarzu Robecca natknęła się na znajomą postać: Cy Clopsa. Ten chłopak był wszędzie! Spotykała go o wiele częściej niż jej współlokatorki, a przecież mieszkały razem i były praktycznie nierozłączne.

Kiedy dziewczyny zbliżyły się do głównego wyjścia, Robecca rzuciła obojętnie:

– Nie macie wrażenia, że ciągle wpadamy na Cy Clopsa?

– Cóż, mieszkamy w tym samym dormitorium, to chyba normalne – parsknęła Venus i pociągnęła za klamkę potężnych drzwi do szkoły.

Ze straszyceum do centrum było dziesięć minut spacerkiem. Pełne osobliwego uroku miasteczko miało dwie rzeczy, bez których nastoletnie potwory nie mogą się obyć: galerię

handlową Paszcza i kawiarnię Kafe Kreffka, w której serwowano najlepsze koktajle mleczne pod słońcem.

Rochelle, Venus i Robecca zaczęły poszukiwania Frankie od galerii handlowej. Sprawdziły każdy sklep i wszystkie stoiska. Były skupione na swoim celu, co nie przeszkadzało im zachwycić się najnowszą kolekcją Transylvania's Secret. Rochelle nigdy wcześniej nie była w sklepie tej popularnej wśród potworzyc marki. Była pod wra-

żeniem nowoczesnych fasonów i postanowiła tu wrócić, gdy tylko zakończy misję ratowania pana D'nata przed depresją.

Przeszukawszy każdy kąt galerii Paszcza – łącznie z Piwnicą Potwornych Promocji, czyli największym outletem w okolicy – przyjaciółki postanowiły zajrzeć do Kafe Kreffki. Już na progu kawiarni poczuły słodki zapach różanych perfum. To mogło oznaczać tylko jedno – a raczej tylko jedną osobę.

W centralnym miejscu kawiarni inspirowanej stylem gotyckim, otoczona morzem zapatrzonych w nią uczniów, siedziała panna Flapper. Kobieta natychmiast zauważyła trzy nowe postaci, poderwała się z wdziękiem z czarnego fotela wykładanego aksamitem i podeszła do dziewczyn, by je przywitać.

– Witajcie w mojej smoczej jaskini – powiedziała słodkim głosem.

– A ja myślałam, że to zwykła kawiarnia – rzuciła nieco kpiącym tonem Venus.

Nauczycielka nie zrozumiała żartu.

– Och, oczywiście, jednak dzikie smoki żyją w jaskiniach. Dlatego ja lubię sobie wyobrażać, że każde pomieszczenie, w którym się znajduję, to także taka smocza jama – zaczęła tłumaczyć, dziwnie modulując głos. – Tak niewiele dzikich smoków zostało na ziemi, a i te, które przetrwały, często zamieszkują bardzo niesprzyjające miejsca, takie jak Los Kłangeles czy Batlanta.

– To prawda – przyznała Rochelle. – Potworom często doskwiera choroba lokomocyjna, więc niezbyt dobrze czują się w miejscach, gdzie codziennie trzeba pokonywać kilometry w samochodzie.

– Czy przyszłyście tutaj, by dołączyć do PLPR? – spytała panna Flapper szeptem, nachylając się nad uchem Robekki.

– Ojejku, nigdy nie przepadałam za szeptaniem. Strasznie mnie to łaskocze. Poza tym mój ojciec zawsze powtarzał, że ludzie szepczą o tym, czego nie powinni mówić na głos – odparła dziewczyna i odsunęła się szybko. Panna Flapper była wyraźnie zaskoczona.

– Oczywiście Robecca niczego nie sugeruje – dodała szybko Venus. – Hej, patrzcie! To Frankie Stein. Szybko, chodźmy z nią porozmawiać, bo inaczej przegapimy obiad.

– W porządku, moje drogie, ale nie zapomnijcie o naszym stowarzyszeniu. PLPR was potrzebuje – wysyczała smocza nauczycielka, wpatrując się intensywnie w oczy każdej z dziewczyn.

– Ja zawsze lubiłam tego typu inicjatywy, szczególnie kluby dobrej książki – wyznała Robecca. – A czym właściwie zajmuje się PLPR? – spytała.

– Chcemy pomóc potworom odnaleźć się w świecie normalsów – wyjaśniła z powagą panna Flapper.

– Proszę nam wybaczyć, ale mamy pilną sprawę – przerwała jej Rochelle i pociągnęła za sobą Robeccę.

Trzy przyjaciółki ruszyły prosto do Frankie Stein. Panna Flapper uważnie obserwowała każdy ich ruch.

Przy stoliku wciśniętym w róg kawiarni, tuż za Trzygłowym Freddiem, siedziała Frankie Stein. Zwykle uśmiechnięta dziewczyna wyglądała dość nietypowo: sprawiała wrażenie mocno zamyślonej, wręcz zasmuconej. Rochelle westchnęła ciężko. Jak miała poprosić ją o jakąkolwiek przysługę?

– *Pardonnez-moi*, Frankie. Przepraszam, że przeszkadzam, zdaje się, że jesteście w trakcie spotkania... No właśnie, co wy tu wszyscy właściwie robicie?

– Nasiąkamy dobroczynną aurą panny Flapper – odparła Frankie bezbarwnie, jak gdyby była to najbardziej oczywista rzecz na świecie.

– Eee... Rozumiem i w takim razie nie zajmę ci dużo czasu. Chciałam cię o coś zapytać.

– Panna Flapper mówi, że pytania jednego potwora dla innego stanowią odpowiedź – wyrecytowała Frankie płaskim tonem.

– Nie będę cię zanudzać szczegółami Kodeksu Etycznego Gargulców, ale musisz mi uwierzyć, że przedstawiciele mojego gatunku nie proszą o przysługi, jeśli nie jest to absolutnie konieczne. Mając to na uwadze, chciałabym oficjalnie oświadczyć, że podjęłam próbę wykonania podjętego przez siebie zadania i nawaliłam na całej linii – oznajmiła z powagą Rochelle.

– Hej, spuść trochę z tonu – rzuciła półgębkiem Venus. – Jeszcze pomyśli, że chcesz od niej nerkę.

– Ale gargulce nie posiadają nerek – odparła Rochelle.

– Venus chyba chciała ci zasugerować, że robisz z tego zbyt wielką ceremonię – zaśmiała się Robecca.

Kamienna potworzyca wzruszyła ramionami i ponownie zwróciła się do starszej koleżanki:

– Frankie Stein, pozwól, że przejdę do sedna. Potrzebuję twojej pomocy w sztuce krawieckiej. Jak pewnie zauważyłaś, mam bardzo ostre szpony. Rozrywam każdą tkaninę, której dotknę. Szycie bez dotykania materiału jest praktycznie niemożliwe.

– Panna Flapper mówi, że należy pomagać potworom w ich dążeniach. Świat jest ułożony tak, by to normalsom żyło się lepiej. To musi ulec zmianie – stwierdziła mechanicznie Frankie.

– Czy to znaczy, że się zgadzasz? – wtrąciła Venus, wyraźnie zdezorientowana dziwnym zachowaniem nastolatki.

– Oczywiście. Co takiego musisz uszyć?

– A czy potrafisz dochować tajemnicy? – spytała Rochelle poważnie.

– Panna Flapper mówi, że sekret jednego potwora to sekret wszystkich potworów.

– Kto by pomyślał, że panna Flapper to skarbnica tylu mądrości – wymamrotała Venus z przekąsem.

– Chodzi o nowy garnitur dla pana D'nata. Mam nadzieję, że dzięki drobnym zmianom w jego wyglądzie zewnętrznym uda mi się umówić go z kimś na randkę. Temu mężczyźnie desperacko brakuje radości w życiu.

– Bardzo piękna inicjatywa – przyznała Frankie bez śladu entuzjazmu. – A także wyjątkowe zadanie, dlatego poproszę o pomoc Clawdeen Wolf. To wyjątkowo uzdolniona projektantka.

– *Fantastique!* – ucieszyła się Rochelle i klasnęła w dłonie.

Wróciwszy na teren szkoły, dziewczyny ruszyły do stołówki. Po drodze wstąpiły na chwilę do pomieszczenia szkolnej poczty, gdzie każda sprawdziła swoją skrytkę. Venus z radością odebrała plik listów od młodszych braci, pisanych oczywiście na ekologicznym papierze z surowców wtórnych. Uczynna Robecca użyczyła jej strumienia pary, by otworzyć koperty. Skrytka Rochelle była pusta. Ciągle czekała na jakikolwiek znak życia od Garrotta. Zastanawiała się, czy przypadkiem nie zaczął się spotykać z jakąś inną gargulicą, o bardziej delikatnym dotyku. Drżała na samą myśl, że mogłaby go stracić; z drugiej strony milczenie chłopaka uspokajało nieco wyrzuty sumienia. Przecież odkąd spojrzała w oczy Deuce'a Gorgona, nie potrafiła przestać o nim myśleć!

Za namową Rochelle wszystkie trzy usiadły do obiadu przy jednym stoliku z panem D'natem. Wcinając ziemniaczane piure z sosem formaldehydowym, dziewczyny bezskutecznie próbowały wciągnąć ponurego nauczyciela w niezobowiązującą rozmowę.

– *Monsieur* D'nat, czy można wiedzieć, skąd pan pochodzi? – spytała uprzejmie Rochelle między jednym kęsem a drugim.

– Z krainy szarych chmur i czarnych dusz – odparł ciężko kościotrup, wbijając przygnębiony wzrok we własne stopy.

– To z pewnością szałowa miejscówka – mruknęła Venus.

– Jak długo uczy pan w Monster High? – wtrąciła Robecca.

– Któż to wie? Nie pamiętam nawet, jak długo jestem martwy – westchnął nauczyciel i zerknął na talerz Rochelle. – Nie smakuje ci sos formaldehydowy?

– Średnio. Poza tym nie jest mi potrzebny, bo moje kamienne ciało i tak jest odporne na upływ czasu.

– Kamienne ciało, powiadasz... Jest chyba całkiem trwałe? Kości są takie kruche i łamliwe – rzucił ciężko pan D'nat.

Następnego dnia, na prośbę Frankie, w porze lunchu Venus, Robecca i Rochelle udały się do klasy panny Flapper. Ściany pomieszczenia wypełniały niewielkie złocone klatki – w każdej z nich zamknięty był miniaturowy smok albo jaszczurka. Smocze Szeptactwo opierało się na pradawnej technice wokalnej hipnozy. Według niej za pomocą głosu wprawionego we właściwe brzmienie można podporządkować swojej woli każde stworzenie – nawet smoka. Nie było to jed-

nak łatwe i dlatego początkujący ćwiczyli na jaszczurkach, by oszczędzić sobie przykrych doświadczeń ze smoczym ogniem: przypalonej sierści czy poparzonej skóry.

– Cóż, przynajmniej teraz wiem, w czym dobre są trolle – powiedziała Venus z przekąsem, przyglądając się, jak dwa tłuste potwory sprawnie szorują zęby miniaturowemu smoczysku. Zianie ogniem często zostawiało paszcze tych gadów pokryte trudną do usunięcia sadzą.

– Ciągle nie mogę uwierzyć, że Clawdeen i Frankie uszyły i wykończyły garnitur w ciągu dwudziestu czterech godzin – westchnęła Rochelle z autentycznym podziwem.

– Prawda? Szczególnie że tobie dwa razy więcej czasu zajęło zniszczenie tej samej ilości materiału

– odparła Robecca bez zastanowienia. – Ojej, to nie tak miało zabrzmieć! – zawołała, gdy tylko zorientowała się, że mogła zostać źle zrozumiana.

– *Boo la la!* Potwornie mi się podoba! – pisnęła z radością Rochelle. Clawdeen i Frankie niosły fantastyczny jaskrawozielony garnitur wykończony srebrną nitką.

– Jest naprawdę wystrzałowy – przyznała Venus, gdy autorki krawieckiego cuda uniosły swoje dzieło nieco wyżej.

– *Merci beaucoup!* Lepiej sobie tego nie wyobrażałam – zawołała Rochelle i klasnęła w dłonie z zachwytem. Miała ogromną ochotę dotknąć zielonego materiału swoim szczupłym, szarym palcem, ale wiedziała, że nie może tego zrobić. To mogło się źle skończyć.

– Panna Flapper mówi, że piękno ubrań zależy od piękna naszego wnętrza – rzekła Clawdeen zaskakująco poważnym i pozbawionym emocji głosem.

– Czy zapisałyście się już do PLPR? – spytała beznamiętnie Frankie.

– Nie, ale zrobimy to dziś po południu – odparła szybko Venus. – Do tej pory byłyśmy bardzo zajęte akcją ratowania pana D'nata. Poza tym nie macie pojęcia, ile nam zadają!

– Jeśli chodzi o waszą inicjatywę, panna Flapper ma pewien pomysł – oznajmiła Frankie, patrząc Rochelle prosto w oczy. – Chciałaby z naszą pomocą umówić się z nim na randkę.

– Nie chcę być niegrzeczna, ale czy na pewno czegoś nie przekręciłyście? – wtrąciła ostrożnie Venus. – Panna Flapper jest naprawdę atrakcyjna. Wydaje wam się, że zechce pójść na randkę z kościstym ponurakiem?

– Panna Flapper mówi, że w potworze najważniejsze jest jego serce, a nie wygląd – stwierdziła stanowczo Clawdeen.

– Ciekawe, ile czasu zabiera wam uczenie się na pamięć wszystkiego, co kiedykolwiek powiedziała – burknęła sarkastycznie Venus.

W tym momencie do klasy weszła smocza nauczycielka, przynosząc ze sobą niemalże duszącą woń różanych perfum.

– Witajcie ponownie, moje miłe – przywitała się miękko. – Czy moje ulubione potworzyce przedstawiły wam moją propozycję?

– Tak i muszę przyznać, że jestem zachwycona – odparła Rochelle. – Pan D'nat bardzo potrzebuje tego spotkania!

– A jak to jest z tobą, hm? Czy Rochelle Goyle czegokolwiek potrzebuje? – spytała panna Flapper, nachylając się nad dziewczyną.

– Dziękuję, że pani pyta, ale nie wydaje mi się, żebym miała jakiekolwiek specjalne potrzeby.

– Świat nie został ułożony pod nas, a pod normalsów. Mam nadzieję, że już niedługo spotkamy się na zebraniu PLPR.

– Nie jestem pewna, czy ja i moje koleżanki się do tego nadajemy. Jak na razie ledwo wyrabiamy się z zadaniami domowymi i opieką nad naszymi niesfornymi zwierzakami – zażartowała Venus.

– Potwór nie zdobędzie świata w pojedynkę. Każdy z nas potrzebuje wsparcia.

– Racja, dlatego nie rozstaję się z tymi dwiema świruskami. – Zielonoskóra uśmiechnęła się, wskazując na Rochelle i Robeccę.

Panna Flapper obrzuciła ją chłodnym spojrzeniem. Z każdą chwilą stawało się ono coraz bardziej intensywne, wręcz palące.

– Jakie masz piękne kolczyki! Mogę przyjrzeć im się bliżej? – odezwała się w końcu. Liście

bluszczu oplatającego Venus nie wiedzieć czemu stanęły dęba.

– Eee... proszę bardzo, ale to naprawdę nic wyjątkowego. Nie są nawet z prawdziwego złota, tylko z plastiku.

Panna Flapper zaczęła nachylać się nad dziewczyną, wciąż utrzymując z nią kontakt wzrokowy, kiedy nagle całe pomieszczenie zalała fala wody. W drzwiach stanęła dyrektor Krewnicka w towarzystwie panny Sue Nami.

– Panno Flapper, bardzo przepraszam za moją wczorajszą nieobecność. Zapodziałam swoją głowę gdzieś w labiryncie i gdyby nie panna Sue Nami, pewnie nigdy bym jej nie znalazła.

Kiedy dyrektorka zaczęła mówić, Venus, Rochelle i Robecca ukradkiem wyślizgnęły się z klasy – ku wyraźnemu niezadowoleniu smoczej nauczycielki.

## ROZDZIAŁ jedenasty

Doktor Skrytostryga nie należał do najmłodszych i czasami było to bardzo widoczne. Wszyscy zdążyli się już przyzwyczaić do jego drobnych dziwactw, takich jak fajka z sera. Jednak tego dnia nauczyciel zachowywał się naprawdę osobliwie.

– Uwaga, zmiana! W tej chwili przerywamy lekturę *Czarnoksiężnika z Krainy Kos*. Z ostatnich analiz wynika, że książka ta zawiera treści antypotworowe, których nie zamierzam szerzyć ani tym bardziej propagować. Zamiast tego zajmiemy się teraz tytułem *Normals versus Potwór*. Jest to je-

den z najważniejszych głosów w sprawie ucisku potworów naszego pokolenia – oznajmił profesor zaskakująco płaskim i bezbarwnym tonem.

– *Pardonnez-moi*, ale tej pozycji nie ma w naszym syllabusie. Jestem tego pewna, bo zawsze noszę przy sobie jego zalaminowaną kopię – wtrąciła z powagą Rochelle.

– Trudno! Aby obecne pokolenia potworów mogły odnieść sukces, muszą poznać okrutną historię zmagań swoich przodków.

– Kto tak powiedział? – spytała Venus.

– Słowa te należą do mojej światłej koleżanki z grona nauczycielskiego, panny Sylphii Flapper – odparł sztywno doktor Skrytostryga.

– O nie, on też? – wymamrotała do siebie zielonoskóra.

– Panna Flapper jest ekstra – dodała Lagoona Blue, a nauczyciel zaczął rozdawać uczniom nowe książki.

– Ciekawe, co Jackson powie na naszą nową lekturę – zastanawiała się na głos Venus. – To przecież normals, prawda?

Robecca pokręciła przecząco głową i wzięła podaną jej książkę.

Gdy zabrzmiał dzwonek, Rochelle złapała za torbę i rzuciła się w stronę wyjścia. Wrodzona, ale nienaturalna wręcz pilność dziewczyny kazała jej jak najszybciej znaleźć jakiś cichy kącik, w którym mogłaby zacząć czytać nową obowiązkową lekturę.

– Hej, poczekaj – zawołał Deuce, gdy gargulica znalazła się w drzwiach do Strachoteki.

Na dźwięk jego głosu dziewczyna stanęła jak wryta. Oczywiście mogło mu chodzić o kogoś innego, ale ostrożnie zerknęła za siebie. Chłopak miał na sobie sprane niebieskie dżinsy i czarną koszulkę. Wyglądał po prostu wystrzałowo.

– Deuce – rzuciła nieśmiało. W jej brzuchu kotłowało się stado motyli. Nie czuła się tak od czasu pierwszych randek z Garrottem.

– Masz chwilkę? Chciałbym z tobą porozmawiać – powiedział chłopak niepewnie, szukając wzrokiem Cleo.

– Ależ oczywiście – odparła Rochelle słabo, jakby zaraz miała zemdleć. Jej szare policzki spłonęły rumieńcem.

– Ale nie tutaj. To dość delikatna sprawa.

– Jestem zobligowana, by ci przypomnieć, że gargulce niezbyt dobrze radzą sobie z delikatnymi przedmiotami. Tak więc jeśli twoja sprawa dotyczy czegoś wykonanego ze szkła bądź ceramiki, radziłabym rozmowę z kim innym.

– Nie, nie o to chodzi – zaśmiał się Deuce. – Chodźmy już, zanim Cleo nas wypatrzy.

Kamienne serce Rochelle prawie wyskoczyło jej z piersi na samą myśl o tym, że zaraz znajdzie

się z nim sam na sam. Wiedziała, że nie powinno jej to aż tak ekscytować, ale nie potrafiła zdusić w sobie emocji. Kiedy szła za chłopakiem, miała wrażenie, że jej twarde, drobne stopy zmieniają się w leciutkie, miękkie chmurki unoszące się nad ziemią. Niemal tańczyła z radości. W końcu usiedli w odległym rogu świetlicy, przy jasnoróżowym stoliku w kształcie czaszki.

– Ciągle zapominam, jakie to przyjemne móc spojrzeć komuś w oczy – powiedział Deuce i zdjął okulary.

– O tak, rzeczywiście – wybełkotała Rochelle. – A więc o czym chciałeś porozmawiać? Potrzebujecie z Cleo pomocy w urządzeniu kampanii na Doroczny Bal Upiorów? Jestem pewna, że znowu wygracie. W końcu już raz wam się udało. Jej, plotę trzy po trzy. O co chciałeś zapytać?

– Czy czytałaś może dzisiejszy artykuł Spectry w „Krwawych Wieściach"?

– Ten o wietrze odnowy wiejącym w korytarzach Monster High? Muszę przyznać, że jak na mój gust był nieco zbyt natchniony, ale jakoś dobrnęłam do końca.

– Pisała też o tym, że uczniowie zmieniają się na lepsze, dojrzewają... Zacząłem się nad tym zastanawiać. Mam wrażenie, że w straszyceum dzieje się coś dziwnego. Na początku wydawało mi się, że coś jest nie tak tylko z Cleo. Oddaliła się ode mnie i była wiecznie czymś zajęta – i to o dziwo nie ciuchami czy fryzjerem. Swoją drogą, zupełnie przestała się przejmować tym, co ma na sobie, a to też nie jest normalne, ale wracając: zauważyłem, że nie tylko ona zachowuje się inaczej. Moi znajomi... mają zmienione głosy. Mówią jak roboty, zupełnie bez emocji. Domyślam się, że to brzmi głupio, ale nie mogę pozbyć się uczucia, że dzieje się coś złego. Zastanawiałem się, czy może ty też czegoś nie zaobserwowałaś.

– A czy mogę najpierw spytać, dlaczego to do mnie się z tym zwróciłeś? Przecież w gruncie rzeczy praktycznie się nie znamy.

– Gargulce nie owijają w bawełnę. Ty nie kręcisz, nie zmyślasz, mówisz, co widzisz. A to bardzo rzadka cecha, uwierz mi – odparł Deuce i popatrzył jej prosto w oczy. – Więc jak, zauważyłaś coś wyjątkowego?

– Tylko twoje zielone oczy – wymamrotała Rochelle pod nosem, ale szybko otrząsnęła się z zamyślenia. – Jest coś w tym, co mówisz, ale w końcu jesteśmy potworami... Nigdy nie zachowujemy się do końca normalnie.

– Mądre słowa, drogi gargulcu.

Rochelle nie potrafiła powstrzymać rumieńca. Deuce powiedział „gargulec" w tak ciepły sposób... Miała wrażenie, że to jej nowa ksywa, ich prywatny żart i zarazem dowód łączącej ich nici porozumienia – nieważne, jak cienkiej. Wraca-

jąc do dormitorium, powtarzała to jedno słowo w swojej głowie. Wspominając ton głosu chłopaka, czuła, jak rozgrzewa się jej granitowa skóra.

Garrott jeszcze nigdy nie wydawał się jej tak daleko, jak w tym momencie. Z zamyślenia wyrwał ją widok zombie w korytarzu dormitorium: czekał przed wejściem do Komnaty Kości i Wiadomości. I nie był to zwykły zombie, lecz kurier! Przesyłka od Garrotta! Rochelle zalała dławiąca fala wstydu i wyrzutów sumienia.

– Grrrlllll Stlllll? – wymamrotał coś niezrozumiale zombie.

– Tak, to ja – odparła niepewnie Rochelle, czując rosnącą gulę w gardle. Podpisała potwierdzenie odbioru, rozpoznając na przesyłce piękne, kaligraficzne pismo Garrotta.

Rochelle szarpały sprzeczne i silne emocje. Zdecydowanie nie chciała pokazywać się swoim współlokatorkom w tym stanie. Ruszyła więc do

pokoju wspólnego, usiadła na kanapie i... zalała się łzami. Kiedy gargulec płacze, jego łzy po prostu ześlizgują się z jego twarzy i spadają na ziemię u jego stóp, gdzie dosłownie tworzą kałuże. Dzięki temu granit jest chroniony przed działaniem soli. Z drugiej strony, nawet chwila smutku potrafi narobić niezłego bałaganu.

By nie zalać pomieszczenia, Rochelle wystawiła głowę przez okno. Nie była to najwygodniejsza pozycja do rozpaczania nad własnym losem, ale przynajmniej chroniła podłogę przed łzami, a u gargulców rozsądek przeważa nawet w środku kryzysu uczuciowego. Dla Rochelle zwisanie przez otwarte okno było więc decyzją jak najbardziej logiczną, ale Venus doznała szoku, gdy weszła do sali i zobaczyła przyjaciółkę w tej oryginalnej pozycji.

– Jak dla mnie za dużo czasu spędzasz z panem D'natem – powiedziała i wciągnęła dziewczynę z powrotem pod dach.

– Nie zamierzałam skakać – wyjaśniła Rochelle, pociągając nosem. – Po prostu nie chciałam zachlapać podłogi.

– Bardzo się cieszę, że chciałaś zwrócić swoje łzy Matce Naturze, ale to chyba niezbyt rozsądne, żeby istota stworzona z kamienia wychylała się przez parapet bez zabezpieczenia – odparła Venus i wskazała na stojący nieopodal fotel. – A teraz siadaj i opowiadaj, o co chodzi.

– Nie musisz się o mnie martwić, nie wypadłabym z okna – zapewniła ją Rochelle i posłusznie zajęła wskazane miejsce. – Venus! Och, Venus! Nie chcę obciążać cię moimi bolączkami.

– A od czego są przyjaciółki? No, mów, co się stało.

– Jestem okropnym gargulcem! Powinni mnie wyrzucić ze stowarzyszenia i zmielić na żwir! – jęczała Rochelle.

– Biorąc pod uwagę to, jak bardzo uwielbiacie zasady i regulaminy, jestem w stanie uwierzyć, że

macie swoje stowarzyszenie. Ale nigdy nie uwierzę, że ktokolwiek chciałby przepuścić cię przez żwirownicę – odparła rzeczowo Venus. – Starczy tych głupot. Do sedna!

– Garrott przesłał mi coś kurierem! – wyrzuciła z siebie Rochelle i ponownie zaczęła łkać wniebogłosy.

– Coś, czyli co? List, kartkę, paczkę? Rozczarowało cię jego nieekologiczne podejście? Mógł przecież napisać e-maila i oszczędzić jakieś drzewo... O to chodzi? – wypytywała Venus. – Chyba zboczyłam z tematu, wybacz. A więc co było w przesyłce?

– Nie wiem. Jeszcze jej nie otworzyłam. Czuję się taka winna! Garrott robi mi niespodziankę, a ja co? Ciągle mam w głowie Deuce'a!

Venus złapała kopertę i rozdarła ją jednym płynnym ruchem. Wyjęła ze środka różową kartkę papieru i przeczytała ją po cichu.

– Co chcesz usłyszeć najpierw: dobre czy złe wiadomości? – zapytała.

– Co?

– W porządku, w takim razie zaczniemy od złych. Dobre zostawmy na koniec – odparła Venus i odchrząknęła znacząco. – Garrott przysłał ci wiersz miłosny.

Rochelle pokręciła głową z niedowierzaniem. Wyrzuty sumienia tylko się wzmogły.

– Ale dobra wiadomość brzmi: Garrott przysłał ci okropny wiersz miłosny.

– Niby dlaczego to ma być dobra wiadomość? – zdziwiła się Rochelle.

– Bo pokazuje, że żadne z was nie jest idealne. Owszem, niewykluczone, że odrobinkę zadurzyłaś się w Deusie, podobnie zresztą jak połowa potworzyc straszyceum, ale za to Garrott pisze naprawdę nudne i wtórne wiersze miłosne – odparła Venus, po czym wstała z listem w ręku.

– Czekaj, co zamierzasz z nim zrobić?

– Wrzucić do kosza z makulaturą.

– Ale to miłosny poemat od Garrotta! – zaprotestowała Rochelle.

– A więc chcesz go zatrzymać? – spytała Venus, machając kartką w powietrzu.

– Tak! – wypaliła stanowczo gargulica.

– Okej, w porządku – ustąpiła zielonoskóra. – Ale obiecaj mi, że jeśli kiedykolwiek się rozstaniecie, ten papier trafi do właściwego pojemnika na odpady.

Rochelle skinęła głową. Uspokoiły ją zaskakujące wnioski wyciągnięte przez Venus. Kto wie, może jej pyląca przyjaciółka miała rację? Może faktycznie nikt nie jest idealny, nawet Garrott? Przypomniała sobie, jak łatwo się denerwował, kiedy jakiś gołąb mylił go z pomnikiem. O tak, jego antygołębia postawa stanowiła prawdziwą kość niezgody między nimi. Rochelle uważała jego wybuchy gniewu za niegodne prawdziwego gargulca. Z drugiej strony, jej szkolne zauroczenie też nie należało do najbardziej szlachetnych. Powtarzała sobie jednak, że przecież nie złamała do tej pory żadnej z licznych przysiąg, które złożyła jako gargulec. (Stworzenia te znajdowały bowiem przyjemność zarówno w spisywaniu wszelkich możliwych zasad, jak i w ustnym ich powtarzaniu).

– Rochelle, starczy już tego płaczu. Lepiej wydmuchaj nos i otrzyj łzy. Wszystko będzie dobrze, zobaczysz – powiedziała Venus.

– Dziękuję – uśmiechnęła się w odpowiedzi gargulica szczerze wzruszona troską przyjaciółki.

– Nie ma za co, ale mówiłam serio o twoich łzach. Jeśli zaraz ich nie wytrzesz, dostaniemy niezłą burę za zalanie pokoju wspólnego – wyjaśniła zielonoskóra.

– Oczywiście – odparła potulnie Rochelle i wstała z fotela. – Powinnyśmy poszukać Robekki. Nie chciałaby przegapić widoku pana D'nata przed pierwszą randką w jego życiu po śmierci.

– Racja. Pewnie jest w naszym pokoju. Pójdę po nią i spotkamy się pod gabinetem tego ponurego kościotrupa – odparła Venus. – Ciągle nie mogę uwierzyć, że panna Flapper zgodziła się z nim umówić. To prawdziwa piękność, chociaż z drugiej strony... przyprawia mnie o dreszcze!

ROZDZIAŁ

# dwunasty

Venus stanęła w drzwiach pokoju, który dzieliła z Rochelle i Robeccą, i... wydała z siebie przeszywający pisk.

– Co to ma być? Co wy wyrabiacie?

– Czemu tak krzyczysz? – spytała Blanche Van Sangre, szeroko ziewając.

– Hm, sama nie wiem. Może dlatego, że ty i twoja pokręcona siostra leżycie w moim łóżku?!

– No i co? Jeszteszmy cygańskimi wampirami. Nie szpimy w jednym miejscu dłuszej nisz jedną noc – wyjaśniła Rose, niespiesznie wygrzebując się spod koców.

– Poza tym nie uszywałasz teraz swojego łószka, prawda? – dodała Blanche, zarzucając na ramiona czarną pelerynę z aksamitu.

– To nie znaczy, że wam wolno korzystać sobie z niego jak z jakiejś noclegowni, do której przychodzicie, kiedy zbiera się wam na drzemkę!

– Okej, następnym razem przeszpimy szę w łószku Rochelle – odparła obruszona wampirzyca.

– Najwyraźniej się nie zrozumiałyśmy. Nie będzie żadnego „następnego razu". A teraz czy mogłybyście w końcu się stąd usunąć? Spieszę się – warknęła zielonoskóra.

– „Najważniejsze są potwory, a nie pospolite stwory" – zaintonowały po cichu bliźniaczki i wyszły z pokoju – a za nimi Venus.

– Panie D'nat! – zawołała z zachwytem Robecca. – Ależ pan przystojny... jak z obrazka!

– Muszę się z nią zgodzić. Wygląda pan świetnie – dodała Venus i puściła oko do kościotrupa. Niestety jego twarz wciąż była zasnuta smutkiem – jaskrawy garnitur nie był w stanie zmienić jego ponurego usposobienia.

– Dziewczyny mają rację. Elegancki potwór w średnim wieku – takie sprawia pan wrażenie – stwierdziła rzeczowo Rochelle. – Pamięta pan nasze wskazówki? Proszę powiedzieć pannie Flapper, że ładnie wygląda, odsunąć dla niej krzesło i pod żadnym pozorem nie wspominać o liście przyszłych rozczarowań. Chyba że chce pan już teraz dopisać do niej tę randkę.

– Tak, pamiętam wszystko – wymamrotał pod nosem mężczyzna, po czym westchnął głęboko, tak, jak tylko on potrafił.

– I może proszę jeszcze spróbować powstrzymać się od ciągłych westchnień? Chociaż przez jakiś czas – dodała Venus.

Robecca spojrzała na nią wymownie i pokręciła głową.

– O co ci chodzi? – zdziwiła się zielonoskóra. – Nie każdemu to odpowiada. Poza tym to tylko sugestia.

– *Bonsoir et bon chance**, *monsieur* D'nat – powiedziała Rochelle i ścisnęła nauczyciela za rękę.

– Au! – jęknął mężczyzna i rzucił kamiennej dziewczynie zbolałe spojrzenie.

– Przepraszam – zawstydziła się gargulica. – Czasem zapominam, jaka jestem silna.

Po odeskortowaniu pana D'nata pod drzwi gabinetu panny Flapper dziewczyny udały się z powrotem do dormitorium. W połowie drogi natknęły się na znajomego trolla o czerwonym nosie. Potwór wpatrywał się w Venus rozedrganym, nie-

* Dobranoc i powodzenia (fr.)

spokojnym wzrokiem, po czym zamachał do niej ostrożnie, jakby chciał, żeby do niego podeszła. Dziewczyna zawahała się. Najchętniej zignorowałaby dziwaczne gesty małego brzydala, ale nie pozwoliła jej na to wrodzona ciekawość. Chciała wiedzieć, co też ma jej do powiedzenia troll, nawet gdyby miało się to okazać kompletną bzdurą.

– Laski, dogonię was na górze. Zostawiłam podręcznik do Szalonej Chemii w laboratorium – powiedziała do koleżanek z pokoju.

– Mogę pożyczyć ci swój – zaoferowała Robecca.

– Dzięki, ale wolę własny. Jako mała sadzonka nie zostałam odpowiednio zsocjalizowana i nie przepadam za dzieleniem się przedmiotami – odparła niezręcznie Venus i dała nura za róg.

Przed rzędem różowych szafek w kształcie trumien, tuż obok Laboratorium Absolutnie Pomylonego Naukowca, czekał na nią mały pękaty troll o czerwonym nosie.

– Ja cię ostrzegać! Teraz za późno! – wymamrotał niewyraźnie, bez przerwy rozglądając się po korytarzu.

– Przed czym mnie ostrzegałeś? – spytała.

– Ty nie słuchać! Teraz za późno. Szkoła martwa – jęknął z przerażeniem.

– Ciągle nie rozumiem. Możesz mi to jeszcze raz wyjaśnić? – poprosiła Venus.

– Za późno – odparł troll i zaczął uciekać na tyle szybko, na ile pozwalały mu jego zaawansowany wiek i niezgrabna postura.

– Stój! Zaczekaj! – zawołała za nim dziewczyna i rzuciła się w pogoń.

– Potworna Liga Potwornego Rozwoju! Panna Snapper! – syknął do niej.

– Masz na myśli pannę Flapper? Zaklinaczkę smoków?

– Nie smoków! Potworów! – odparł troll z wyraźnym przerażeniem. – Ona mieć wszystkie trolle,

tylko nie ja. Niedługo ona mieć was wszystkich – powiedział złowieszczo i szybko się oddalił.

Venus całkowicie skołowana wróciła do dormitorium. Jej umysł pracował na najwyższych obrotach, próbując pojąć znaczenie tego, co przed chwilą usłyszała. Niespokojnie bawiła się gałązką winobluszczu, jednocześnie powtarzając w głowie słowa tajemniczego trolla. Panna Flapper nie była zaklinaczką smoków, lecz potworów. Nagle wszystko wydało jej się takie oczywiste. Faktycznie nie miała na ciele blizn czy śladów poparzeń, które zwykle nosili na sobie mający do czynienia ze smokami. Do tego wszyscy w szkole ostatnio zachowywali się jak pod wpływem jakiegoś tajemniczego czaru. Dotychczas przyjazne postaci, takie jak Frankie Stein, teraz były dziwnie obojętne, mało towarzyskie i całkowicie oszalałe na punkcie panny Flapper.

Pozostało tylko jedno pytanie: czego chciała smocza nauczycielka? Co zamierzała uzyskać, przejmując kontrolę nad Monster High?

Gdy Venus była w drodze do dormitorium, Robecca szła razem z Penny do labiryntu. Naburmuszona pingwinica potrzebowała rozrywki i pocieszenia po tym, jak ugryzł ją Gryzioł. Ponoć rano drapieżna roślina pomyliła jej skrzydełko z ciastkiem. Niestety, starania Robekki, by poprawić pupilce humor, spełzły na niczym: w trakcie zabawy straciła ptaka z oczu i nie potrafiła go odnaleźć.

– Kurczę blaszka! Penny mnie zabije – jęknęła Robecca, a z uszu strzeliły jej strumienie pary. Włączyła swoje odrzutowe buty i zaczęła nerwowo kręcić się nad labiryntem w poszukiwaniu przyjaciółki. Niestety, po dłuższej chwili wróci-

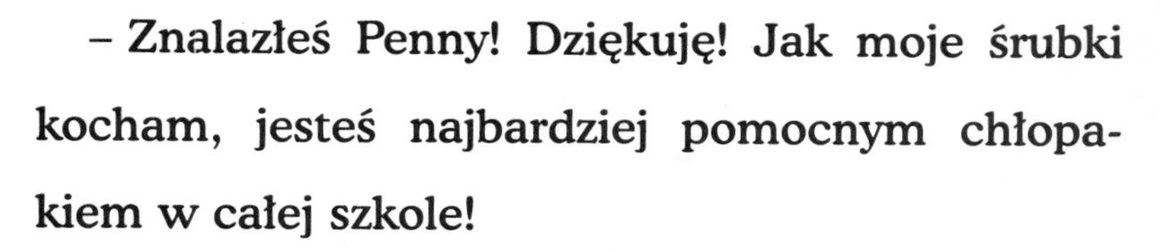

ła na ziemię sama. Nie miała pojęcia, gdzie szukać.

– Cześć, Robecco – przywitał się cicho Cy Clops. Chłopak wyłonił się z cienia z pingwinicą na ręku. – Mam nadzieję, że cię nie przestraszyłem.

– Znalazłeś Penny! Dziękuję! Jak moje śrubki kocham, jesteś najbardziej pomocnym chłopakiem w całej szkole!

– Bez przesady…

– Mówię serio. Jesteś zawsze na miejscu, gotowy mi pomóc, niezależnie od tego, czy pytam o godzinę, czy szukam mojego zwierzaka.

Cy spojrzał na Robeccę swoim wielkim zielonym okiem i uśmiechnął się nieśmiało. Wcześniej dziewczyna nigdy dokładnie mu się nie

przyglądała. Uderzyły ją szczerość i niewinny wygląd jego twarzy. Chłopak zdawał się całkowicie niezdolny do jakichkolwiek podstępów.

– Cieszę się, że mogłem ci pomóc – powiedział z prostotą.

– Jeśli pozwolisz, to chciałabym zapytać, czy... czy innym uczniom też tak chętnie pomagasz? – spytała ostrożnie.

– Nie, tylko tobie – odparł i z miejsca się zarumienił.

– Czy to znaczy, że specjalnie za mną chodzisz?

– Można tak powiedzieć. Robię to, by mieć pewność, że jesteś bezpieczna – wyznał Cy i głośno przełknął ślinę. Widać było, ile emocji dostarcza mu bezpośrednia rozmowa z Robeccą. Od dawna wyobrażał sobie tę chwilę i teraz, gdy w końcu doszło do ich spotkania, paradoksalnie wydawało mu się ono bardziej nierzeczywiste niż w snach. Co więcej, z bliska dziewczyna była jeszcze śliczniejsza, niż mu się wydawało – mimo nieco rozczochranych włosów i skóry błyszczącej od pary wodnej. Dla niego była idealna.

– Na początku po prostu mi się podobałaś i trzymałem się blisko, żeby móc na ciebie patrzeć. Ale z czasem w szkole zaczęło się robić coraz dziwniej i chyba poczułem, że będąc zawsze w pobliżu, łatwiej będzie mi cię chronić.

– Ale przed czym? – zdziwiła się Robecca. – Co może nam grozić na terenie straszyceum?

– Coś w Monster High się psuje – cyklop zniżył głos i rozejrzał się dookoła, by upewnić się, że są sami.

– Masz na myśli jedzenie? Zgodzę się, jadałam już lepiej...

– Nie o to mi chodzi. Mnie akurat szkolne żarcie odpowiada. I tak jest lepsze od kuchni mojej mamy – odparł Cy z niepewnym uśmieszkiem. – Mówię o tych tajemniczych spotkaniach.

– To znaczy?

– Na pewno słyszałaś o PLPR. Panna Flapper organizuje spotkania w szkolnych lochach.

– Cóż, zajęcia pozalekcyjne są chyba zgodne z prawem! – zaśmiała się Robecca.

– Pewnego dnia zostałem w szkole po lekcjach. Zostawiłem plecak w lochach i musiałem po niego wró…

– Zostałeś po lekcjach? Co przeskrobałeś? – przerwała mu dziewczyna, szczerze zaskoczona.

– Trochę opuściłem się w nauce, bo ciągle próbowałem cię śledzić. Nieważne. Tak więc wróciłem do lochów i ujrzałem… – Cy zawiesił głos.

– Do stu śrubek, nie wytrzymam tego napięcia! Co tam zobaczyłeś?

– W jednej z sal było pełno potworów. Wszyscy porozumiewali się szeptem. Brzmiało to, jakby jednocześnie syczało do siebie tysiąc węży! Wiem, że to zabrzmi głupio, ale gdybyś ty to zobaczyła, na pewno…

– ...przeszłyby mnie ciarki? – zgadywała Robecca.

– Chciałem po prostu powiedzieć, że poczułabyś się nieswojo, ale tak też można to ująć.

– Jeśli mogę być z tobą szczera, nigdy nie lubiłam szeptania – przyznała dziewczyna, zastanawiając się nad słowami chłopaka.

– Moja mama zawsze powtarza, że szeptem mówi się tylko to, czego nie powinno się mówić na głos.

– Właśnie! – zawołała Robecca.

– Pozwolisz odprowadzić się do domu? – zapytał nieśmiało Cy. – Powinienem sprawdzić, co się dzieje z Henrym.

# ROZDZIAŁ
# trzynasty

Monsieur D'nat, tu pan jest! Szukałam pana! – zawołała z przejęciem Rochelle, wchodząc do Strachoteki.

– Niby dlaczego? – zdziwił się kościotrup, po czym skrzyżował ramiona i wbił w dziewczynę spojrzenie przekrwionych oczu.

– Chciałam sprawdzić, jak się pan czuje po randce z panną Flapper.

– Panna Flapper jest naszym jedynym ocaleniem i dba, byśmy kroczyli właściwą drogą do naszego przeznaczenia – odparł mechanicznie nauczyciel.

– *Pardonnez-moi*, ale nie bardzo rozumiem. Mówi pan o niej jak o swoim trenerze osobistym, a nie o potencjalnej partnerce. Co się stało?

– O co ci chodzi? Niby dlaczego w ogóle miałbym ci się z czegokolwiek tłumaczyć? – warknął szkielet.

– To nie tak... Chodziło mi tylko o to, że mówi pan o niej jak o swoim guru, a nie jak o kimś, z kim był pan na randce.

– Flap rządzi, Flap radzi, Flap nigdy nas nie zdradzi!

– Flap? Tak ją pan teraz nazywa? – zdziwiła się Rochelle.

– Właśnie tak należy się do niej zwracać tutaj, w Monster High – odparł mężczyzna. – Każdy, kto zostanie przyłapany na posługiwaniu się jej poprzednim imieniem, zostanie w lochu po lekcjach.

– Przepraszam, nie wiedziałam o tej zmianie. Nie słyszałam też o żadnych poprawkach regula-

minu odnośnie do wolności słowa – obruszyła się gargulica.

– Flap słusznie przeczuła, że będziesz próbowała podkopać jej autorytet i zwrócić nas przeciwko jej szlachetnym działaniom – ciągnął pan D'nat, a jego oczy zaczęły rozszerzać się z przejęcia.

– *Monsieur*, nie mam pojęcia, o czym pan mówi.

– Przewidziała, że będziesz tak twierdzić – burknął szkielet i westchnął charakterystycznie.

– Lepiej już pójdę – rzuciła Rochelle i skierowała się do wyjścia.

– Bylebyś nie odeszła za daleko. Flap będzie chciała spotkać się z tobą i twoimi przyjaciółkami – usłyszała Rochelle i poczuła zimny dreszcz przebiegający jej po kamiennych plecach.

Wytrącona z równowagi i głęboko urażona nieprzyjaznym zachowaniem nauczyciela, wypadła ze Strachoteki prosto na korytarz. Chciała jak najszybciej znaleźć się w swoim pokoju. Po drodze do dormitorium poczuła znajome łaskotanie w kącikach oczu. Zraniły ją nie tyle słowa nauczyciela, ale sposób, w jaki z nią rozmawiał. Jego głos był całkowicie wyprany z wszelkich uczuć. Jeszcze nigdy nie słyszała czegoś podobnego.

– Choć brak mi wykształcenia medycznego, jestem przekonana, że moja diagnoza jest trafna. *Monsieur* D'nat oszalał! *Completement fou!*[*] Całkowicie stracił kontakt z rzeczywistością. A co najgorsze, jest ciągle poirytowany! – zawołała ze złością Rochelle, stając w drzwiach Komnaty Kości i Wiadomości. Po jej zwykłym opanowaniu nie było ani śladu.

– Zapomnij o nim! – odparła Robecca histerycznie. – Panna Flapper urządza dziwne, szepczące

* To absolutny szaleniec! (fr.)

spotkania PLPR w lochach. Ponoć ich uczestnicy syczą do siebie jak węże. Co o tym sądzicie?

– Moim zdaniem mamy do czynienia z zaklinaczką potworów – oświadczyła Venus, która właśnie weszła do pokoju i zamknęła za sobą drzwi.

– I co to niby znaczy? – pisnęła Robecca.

– Panna Flapper używa swojego głosu, by hipnotyzować potwory – wyjaśniła zielonoskóra.

– Ale dlaczego miałaby to robić? – oburzyła się Rochelle. – Ach, *monsieur* D'nat! Jego też musiała dopaść!

– Rany julek! I co my z tym zrobimy? – denerwowała się Robecca.

– Spokojnie, spuść trochę pary, kochana, bo wybuchniesz. Przede wszystkim musimy porozmawiać z dyrektor Krewnicką. Należy ją poinformować o zaistniałej sytuacji, a ona zajmie się resztą – stwierdziła spokojnie Rochelle, próbując uspokoić podenerwowaną przyjaciółkę.

– Ale czy pani dyrektor na pewno sobie poradzi? Ostatnio jest okropnie roztrzepana. Tak, tak, wiem, przyganiał kocioł garnkowi... – westchnęła Robecca.

– Masz rację, dyrektor Krewnicka jest okropnie zakręcona – przyznała Venus. – Lepiej uderzyć od razu do panny Sue Nami. Może i jest niegrzeczna i strasznie się rządzi, ale potrafi wszystko załatwić.

– Im szybciej zaczniemy działać, tym lepiej. Sytuacja już wymknęła się spod kontroli – dodała Rochelle, nerwowo przebierając palcami po grzbiecie swojego gryfa.

– W takim razie do roboty! Musimy znaleźć pewną wodnistą jejmość... – zarządziła Venus i gwałtownym szarpnięciem otworzyła drzwi.

Trzy przyjaciółki najpierw udały się do gabinetu nauczycielki, a nie znalazłszy jej tam, ruszyły prosto na cmentarz, bo ktoś im powiedział, że

panna Sue Nami miała tam badać sprawę naruszenia zasad uprawiania roślin. Niekontrolowane sadzenie nieregulaminowych gatunków stanowiło poważne wykroczenie, gdyż zapylenie krzyżowe między pewnymi odmianami mogło mieć naprawdę przykre konsekwencje. Gdy dziewczyny wyszły zza rogu budynku, ich oczom ukazała się przerażająca scena. Pod bogato zdobioną kutą

bramą strzegącą wejścia do nekropolii stała panna Flapper, odziana w strojną, czerwoną suknię z aksamitu. Kobieta prowadziła szepczącą rozmowę z... Deuce'em Gorgonem.

Rochelle wstrzymała oddech i przytknęła dłoń do rozwartych z wrażenia ust.

– Rety kotlety, co teraz? – wymamrotała Robecca, zerkając pytająco na Venus.

– Nie możemy nic dla niego zrobić – odparła zielonoskóra, patrząc na pełne usta nauczycielki przytknięte do ucha chłopaka. – Jest już za późno.

Twarz Deuce'a na moment przybrała tępy wyraz, zupełnie jak twarze innych uczniów, których mijały na szkolnym korytarzu.

– Deuce! – zawołała Rochelle w daremnej próbie przekrzyczenia zniewalającego głosu panny Flapper.

Niestety, udało jej się jedynie zwrócić uwagę szalonej nauczycielki. Na widok trzech przyjació-

łek kobieta aż się rozpromieniła i pędem ruszyła w ich kierunku.

– Dziewczyny! Muszę koniecznie z wami porozmawiać! – zawołała. Venus, Robecca i Rochelle spojrzały na siebie porozumiewawczo, po czym w jednej chwili zawróciły i zaczęły uciekać.

Pokonały dwa zakręty i przebiegły przez szkolny dziedziniec, kiedy nagle zatrzymał je ostry, nieprzyjazny głos.

– Becca? Benus? Bochelle? – ryknął za nimi troll z wyraźną wadą wymowy.

– Skąd wiesz, jak się nazywamy? – spytała odważnie Rochelle, choć kamienne serce biło jej w piersi jak oszalałe.

Venus parsknęła z ironią.

– Cóż, to nie do końca nasze imiona, chyba że od dziś mamy się do ciebie zwracać per Bochelle.

– Ej, nie czas na żarty! – odgryzła się gargulica.

– Flap chcieć was widzieć teraz! – warknęła bestia, opluwając wszystkie trzy gęstą śliną.

Venus ostrożnie zrobiła krok do tyłu.

– Przykro nam, ale nie mówimy po trollijsku.

– Zostać! Flap chcieć was widzieć teraz! – powtórzył troll, tym razem dużo głośniej.

– *Pardonnez-moi? Monsieur* troll, tak mi przykro, ale mój angielski nie jest najlepszy – powiedziała Rochelle. Ona i Robecca również zaczęły się wycofywać.

– Nie iść nigdzie! Stać!

– Musimy stąd zwiewać! I to teraz! – krzyknęła Venus i wszystkie trzy wystartowały sprintem.

Choć granitowe nogi Rochelle poruszały się wolniej od nóg jej koleżanek, i tak była szybsza od niezgrabnego trolla. Bestia okazała się tak powolna, że nie dała rady wyprzedzić nawet ropuchy, skaczącej korytarzem w tym samym kierunku, co on. Oczywiście sam troll nie miał zamiaru nikomu

o tym opowiadać. Nawet on wyczuwał poniżający aspekt tej sytuacji.

– A niech mnie! Nie wiem, co będzie, jeśli wydarzy się jeszcze coś ekscytującego! – jęknęła Robecca. – Boję się, że pęknie mi uszczelka! – dodała. Para wydostawała się z jej uszu z głośnym sykiem.

– Możesz wyluzować. Chyba słyszę znajomy chlapiący odgłos – odparła Venus z satysfakcją. – Panno Sue Nami! – zawołała na widok potężnej jak ściana wodnej kobiety. – Musimy z panią porozmawiać! To bardzo ważne.

– Masz trzydzieści sekund, niedorosła istoto. Jestem właśnie w środku afery ogrodniczej na cmentarzysku.

– Panna Flapper rzuciła czar na całą szkołę. Nauczyciele, uczniowie, wszyscy są w niebezpieczeństwie! Nie wiemy, dlaczego to robi, ale trzeba ją powstrzymać! – wyrzuciła z siebie jednym

tchem Robecca. Po jej metalowym czole spływały strużki skroplonej pary wodnej.

– To najbardziej szalony zarzut, jaki kiedykolwiek słyszałam – burknęła z niedowierzaniem panna Sue Nami.

– Domyślam się, że tak to brzmi, ale proszę nam uwierzyć – wtrąciła Rochelle, spoglądając błagalnie na surową kobietę.

– Nie powiedziałam, że wam nie wierzę, tylko że to czyste szaleństwo – rzeczowo odparła szkolna opiekunka. – Muszę przyznać, że żywiłam pewne podejrzenia odnośnie do tej całej Flapper od samego początku! Nigdy nie ufam ludziom, którzy łatwo zdobywają popularność. Zawsze tak było i to się nie zmieni!

– Rozumiem, że nie wspomina pani z przyjemnością lat spędzonych w straszyceum... Cóż, w tej chwili możemy być za to tylko wdzięczni – powiedziała do siebie Venus.

– Nie martwcie się niczym, dziewczęta. Osobiście dopilnuję, żeby zaradzono tej sytuacji – oznajmiła panna Sue Nami. – Lepiej udajcie się teraz do swojego pokoju. Tutaj może się rozpętać niezłe piekło.

– To całkiem sensowny pomysł – zauważyła Rochelle.

– Wiedziałam, że to nie może być nikt normalny – burknęła wodna kobieta. – Jaki szanujący się nauczyciel kazałby zwracać się do siebie per Flap? – parsknęła pod nosem, zawróciła i ruszyła przed siebie z ciężkim tupaniem.

# ROZDZIAŁ
# czternasty

Gdy tylko przyjaciółki wróciły do swojej komnaty, rozległo się cichutkie, niemal niesłyszalne pukanie.

– Przysięgam, jeśli to bliźniaczki, które znowu chcą się tutaj przespać, to nie będę się powstrzymywać i spuszczę im niezły łomot! – zapowiedziała Venus, po czym wstała i podeszła do drzwi.

– A jeśli to troll? – spytała niepewnie Robecca. – Potwór, którego panna Flapper przysłała, by zawlókł nas do jej uperfumowanej jaskini?

– Kto tam? – warknęła groźnie Venus w kierunku drzwi.

– Cy Clops. Nie wiem, czy mnie kojarzysz. Mamy kilka lekcji razem. Jestem cyklopem, mam jedno wielkie oko... Dzielę pokój z Henrym Hunchbackiem – wymamrotał Cy. Venus otworzyła drzwi i zachichotała na jego widok.

– Dobrze wiemy, kim jesteś – uśmiechnęła się i gestem zaprosiła chłopaka do środka.

– Cześć, Robecca. Cześć, Rochelle – przywitał się niezręcznie, po czym skrzyżował ramiona i wbił wzrok w podłogę.

– Udało nam się znaleźć pannę Sue Nami i wszystko jej wytłumaczyć – powiedziała Robecca. – Obiecała, że zajmie się tym osobiście.

– Sama jedna? Nie jestem pewien, czy wie, z kim – a raczej z czym – zamierza walczyć. Mam nadzieję, że się mylę, ale nie wydaje mi się, żeby panna Flapper łatwo odpuściła. Ma za sobą praktycznie całą szkołę. Dorwała nawet Henry'ego – westchnął ze smutkiem Cy.

– Jak to się stało? – zdumiała się Rochelle. – Wstąpił do Potwornej Ligi Potwornego Rozwoju?

– Opowiedziałem mu, co zobaczyłem w lochach. Chciał to sprawdzić, ale kiedy stamtąd wrócił, nie był już sobą.

– To się niedługo zmieni, zobaczysz – zapewniła go miękko Robecca. Cy oparł się o ścianę, najwyraźniej odrobinę rozluźniony.

– Aua! – syknął chłopak i rozejrzał się za źródłem ugryzienia.

– Przepraszam! Powinnam umieścić tablicę ostrzegawczą albo coś w tym stylu – powiedziała Venus. – „Uwaga! Głodna roślina na posterunku".

Venus udało się przekonać pozostałych, że dzwonnica będzie o niebo lepszą kryjówką niż ich własny pokój, do którego prędzej czy później

z pewnością zapuka jakiś troll. Tak więc Venus, Rochelle, Robecca i Cy po cichu opuścili dormitorium, wdrapali się na szczyt wieży i zaczęli czekać. Od czasu do czasu wyglądali na zewnątrz przez niewielkie, okrągłe okienka. Poza tym grali w karty, na zmianę drzemali i prowadzili niekończące się dysputy na temat tego, co może dziać się na dole. Od czasu do czasu po kamiennych ścianach dzwonnicy obijał się echem tupot nóg maszerujących korytarzem trolli, jednak przeważnie towarzyszyła im martwa cisza.

– Dużo bym dała, żeby móc się dowiedzieć, co się tam dzieje. Może jest już po wszystkim i chowamy się tutaj zupełnie bez sensu? – odezwała się z nadzieją Robecca.

– Nie wydaje mi się. Panna Sue Nami z pewnością wysłałaby nam jakiś sygnał – odparła Venus.

Z uszu Robekki trysnęły małe obłoczki pary.

– Przynajmniej dowiedziałam się o sobie tyle, że źle znosiłabym zamknięcie w więzieniu. Nie jestem stworzona do pozostawania w jednym miejscu zbyt długo. Strasznie mi z tym dziwnie.

– Nie jestem w stanie wyobrazić sobie, za co mogłabyś trafić do więzienia. No, chyba że mówienie „kurczę blaszka" albo „rety kotlety" kiedyś stanie się przestępstwem – stwierdziła rzeczowo Rochelle. – Co innego Venus. Przychodzi mi do głowy wiele szlachetnych, ale zupełnie nieodpowiedzialnych czynów, za które mogłabyś trafić za kratki – dodała.

– Mówisz? A jak to jest z tobą? – odparowała zielonoskóra.

– Gargulce są zbyt dobre w przestrzeganiu przepisów. Nie ma szans, żaden nigdy nie wyląduje w więzieniu – wtrącił Cy.

– Właśnie tak – uśmiechnęła się Rochelle.

Pozorny spokój tej chwili zniknął, kiedy niespodziewanie rozległo się ogłuszające dzwonienie. Czwórka przyjaciół spojrzała po sobie niespokojnie. „Co teraz?" – zdawały się pytać ich uniesione brwi.

W korytarzu słychać było podniecone głosy:

– Zwołano spotkanie nadzwyczajne! Wszyscy jak najszybciej proszeni są do Wampiauli!

– Jak myślicie, o co chodzi? – Cy spojrzał na dziewczyny.

– Może panna Sue Nami chce zebrać wszystkich, by ogłosić koniec panowania panny Flapper – zastanawiała się na głos Venus.

– A jeśli to sama panna Flapper? – pytała Rochelle.

– Chcę wierzyć, że to Venus ma rację – powiedziała Robecca z niepewnym uśmiechem.

– Obawiam się, że istnieje tylko jeden sposób, żeby to sprawdzić – zauważyła zielonoskóra. Była wyraźnie zdenerwowana.

Klatka schodowa dzwonnicy była ciemna, wilgotna i rozpaczliwie potrzebowała odnowienia. Ściany pokrywała pajęczyna pęknięć, a odgłos kapiącej gdzieś wody odbijał się od nich złowrogim echem. Miejsce to nie należało do najprzyjemniejszych, więc cieszyli się, że w końcu je opuszczają – a przynajmniej tak było, dopóki nie zobaczyli zamieszania na szkolnym korytarzu. Uczniowie pędzili w kierunku Wampiauli jak spłoszone stado zwierząt. Przyjaciołom trudno było uwierzyć, że panna Sue Nami pozwoliłaby na powstanie takiego chaosu. Wbrew rozsądkowi ciągle łudzili się jednak, że to ona sprawuje teraz władzę w szkole.

Fioletowo-złota aula pękała w szwach, zupełnie jak na apelu z okazji rozpoczęcia roku szkolnego. Jednak tym razem atmosferę przepełniało raczej

pełne obaw napięcie, a nie radosna ekscytacja. Robecca, Cy, Venus i Rochelle usiedli przygarbieni w fotelach w ostatnim rzędzie w obawie przed trollami.

– Witajcie, uczniowie. Cieszę się, że wszyscy przybyliście na odgłos dzwonu – przywitała audytorium ze spokojem dyrektor Krewnicka.

– Sprawia całkiem normalne wrażenie. To dobry znak – powiedziała Venus do Rochelle ściszonym głosem.

– Jak wielu z was wie, już od lat nie biliśmy w dzwon alarmowy! – ciągnęła dyrektorka. – Muszę przyznać, że przez cały ten czas marzyłam o tym, by kiedyś stanąć w obliczu sytuacji, w której konieczne będzie jego użycie. Ta chwila nadeszła dziś. A teraz... gdybym tylko mogła sobie przypomnieć, o co właściwie chodziło... Nietoperza grypa? Inwazja owadów-mutantów? Pleśń dyniogłowych? A może po prostu chciałam się z wami przywitać? No tak, to musi być to. A więc witajcie, potwory i potworzyce! Dziękuję wszystkim za tak liczne przybycie!

Podczas gdy dyrektor Krewnicka machała do młodzieży, na podium wtoczyła się panna Sue Nami i zepchnęła swoją przełożoną z mównicy.

– Panno Sue Nami, co to za zwyczaje? Bawimy się w zapasy? – zdziwiła się dyrektorka.

– O nie, droga pani, zupełnie nie o zapasy chodzi – warknęła wodna kobieta, po czym zaczęła szeptać do ucha Krewnickiej.

– O tak – westchnęła po chwili szefowa szkoły. – Jakaż ulga znów mieć w głowie swoje myśli!

Widok panny Sue Nami przypominającej dyrektorce, co ma powiedzieć, podziałał na Venus uspokajająco, gdyż przypomniał jej pierwszy dzień w Monster High, kiedy jeszcze straszyceum wydawało jej się bardzo zdrowym miejscem, w którym roślina taka jak ona mogła

wzrastać w spokoju. Choć teraz nie potrafiła właściwie nazwać zagrożenia, instynktownie czuła, że warunki w szkole nie są już tak idealne.

– Moje drogie potwory, jak pewnie wiecie, wręcz uwielbiam swoją pracę. Dla mnie jest to najlepsze zajęcie na świecie. Co więcej, jest ono przy tym bardzo odpowiedzialne. W Monster High rozwijają się przyszłe pokolenia – oznajmiła dyrektor Krewnicka z nieukrywanym podnieceniem.

– O czym ona mówi? – powiedziała pod nosem Rochelle.

– Starałam się dobrze wypełniać swoje obowiązki. Tak mi się przynajmniej wydaje, bo niestety nie pamiętam, co właściwie robiłam. Jeżeli nie byliście ze mnie zadowoleni, proszę, zachowajcie to dla siebie. Kobiety w moim wieku źle przyjmują krytykę, nawet konstruktywną. Ale o czym to ja?... Ano tak, o starości. Ja nie jestem już w sta-

nie dłużej kierować szkołą tak, jak zasługują na to jej uczniowie. Potrzebujecie kogoś, kto pomoże wam odnaleźć wasze miejsce w świecie zdominowanym przez inne gatunki. Normalsi, psy i fretki, a dopiero na czwartym miejscu potwory? To się nie godzi.

– Niby dlaczego jesteśmy za fretkami? – oburzyła się Venus. W żołądku poczuła nieprzyjemny ucisk.

– Tym samym przekazuję rządy nad straszyceum Monster High w ręce Flap i mianuję ją nową dyrektorką szkoły, ze skutkiem natychmiastowym!

Panna Flapper wspięła się po schodach wiodących na scenę w otoczeniu trolli odzianych w granatowo-czerwone żołnierskie mundury. Biła z niej moc i pewność siebie. Jej początkowa łagodność zniknęła bez śladu. Miała twardą i zaciętą twarz. Ubrała się w surową, czar-

ną suknię z niewielkim dekoltem, której jedyną ozdobę stanowiły guziki i epolety na ramionach. Wyglądała w niej jak dowódca armii. Wrażenie to potęgowała skromna fryzura: czerwone włosy nauczycielki były związane w ciasny węzeł na czubku głowy.

Kobieta podeszła do mównicy, jakby celowo przeciągając każdy krok.

– Dziś zaczynamy na nowo, dziś zaczynamy wznosić nasze imperium. Tym samym likwiduję wszelkie bezcelowe szkolne rozrywki, takie jak rolkolada czy drużyna Potworniarek. Czeka nas trudne zadanie do wykonania, nie wolno nam więc marnować czasu na głupoty. Kto nie jest z nami, ten jest przeciwko nam. Nie ma innego wyboru. Od teraz wszyscy jesteśmy wojownikami: normalsi nie będą nas dłużej spychać na margines! – zawołała panna Flapper i rozłożyła swoje smocze skrzydła dla wzmocnienia efektu.

– O rety, czy ja dobrze słyszę? – parsknęła Robecca, próbując opanować ogarniającą ją panikę.

– Obawiam się, że tak. Nie jest dobrze – odparł Cy.

– Jest nawet gorzej niż niedobrze. To jakiś koszmar – dodała Venus. Na jej twarzy malowało się rozczarowanie.

Panna Flapper pomachała do publiczności, a na scenie dołączyło do niej trio dyniogłowych z hymnem Potwornej Ligi Potwornego Rozwoju na ustach:

„Najważniejsze są potwory, a nie pospolite stwory..."

Czwórka przyjaciół w głębokim szoku wydostała się na korytarz. Kompletnie nie wiedzieli, jaki ruch powinni teraz wykonać. Nie mieli pojęcia, czy cokolwiek da się jeszcze zrobić. Zbici z tropu za-

częli snuć się po szkole ze spuszczonymi głowami i zamglonymi oczami. Pewnie dlatego nie od razu zwrócili uwagę na ulotki rozlepione na różowych szkolnych szafkach w kształcie trumien. Widniały na nich niezbyt pochlebne portrety całej czwórki oraz napis: POSZUKIWANI – JEŚLI ICH ZOBACZYSZ, ZAWIADOM NAJBLIŻSZEGO TROLLA.

– Nie podnoście głów i chodźcie za mną – syknęła Venus, unikając patrzenia w oczy mijanym na korytarzu postaciom.

– Rety kotlety, tylko nie to – jęknęła Robecca. – Zaczynam buchać parą! Uwaga!

– Nie panikuj! – upomniała ją Rochelle. – Zdejmij sweter i owiń go sobie wokół głowy jak turban. To powinno pomóc, przynajmniej na razie.

Cy pilnował Robekki, kiedy walczyła ze swoim ubraniem, po czym obydwoje ruszyli korytarzem za Rochelle i Venus. Chłopak sam nie rozumiał, skąd u niego aż tak silna potrzeba chronienia

dziewczyny. Od chwili, kiedy ujrzał tę metaliczną nastolatkę, czuł nieodpartą potrzebę bycia jak najbliżej niej.

W końcu dotarli do labiryntu. Robecca odpaliła rakietowe buty i przeleciała do najbardziej odległego i zapomnianego kawałka. Dopiero schowani między zaniedbanym żywopłotem, dziko rosnącymi siewkami drzew i zardzewiałymi sprzętami trzy potworzyce i jeden potwór w pełni zdali sobie sprawę ze swojego niewesołego położenia.

– *Je ne comprends pas!* Dlaczego pannie Flapper aż tak na nas zależy? Co myśmy takiego zrobili? – zastanawiała się na głos Rochelle.

– Te plakaty wyglądały jak żywcem wyjęte z westernów – westchnęła Robecca i jednocześnie wypuściła strumień pary prosto w twarz cyklopa. – Kurczę blaszka, przepraszam, nie chciałam!

– Nie ma za co. W gruncie rzeczy to całkiem przyjemne. Szczególnie że zostawiłem krople do oczu w pokoju.

– A ja dalej nie rozumiem. Dlaczego my? Czyżbyśmy jako jedyni nie byli pod wpływem jej czaru? Czy może chodzi o coś innego? – spytała Venus.

– Tylko my nie dołączyliśmy do PLPR. Na pewno o to chodzi. Tylko nas nie udało jej się skaptować – odparła Rochelle z ponurym wyrazem twarzy.

– Ona ma rację – przytaknął Cy. – Panna Flapper doskonale wie, nad kim ma kontrolę, a nad kim niekoniecznie.

– Może powinniśmy przekraść się do miasta i porozmawiać z policją? – zaproponowała Robecca.

– I niby co im powiemy? Że nowa dyrektorka sprała mózgi wszystkim uczniom i nauczycielom? – parsknęła Venus. – Wątpię, żeby ktokolwiek to kupił. A nawet jeżeli, to ryzykujemy, że ta smocza potworzyca na nich również rzuci urok, kiedy tylko przyjdą tutaj. Całe Salem jest w niebezpieczeństwie.

– Chciałabym znaleźć się teraz w Upioryżu. Tam wiedziałabym, co robić. Zadzwoniłabym na telefon alarmowy gargulców, zgłosiłabym nasz problem i poczekałabym na przyjazd specjalnego komitetu, który by go rozwiązał.

– Cóż, tu nie mamy takich udogodnień – wymamrotała Robecca. – Ale mamy siebie nawzajem.

– Cy? – przerwała jej Venus. – Nie mogę przestać myśleć o tym, co powiedziałeś nam w pokoju. Żadne z nas nie wie, z czym właściwie walczymy. Miałeś rację. Dopóki się tego nie dowiemy, nie będziemy w stanie powstrzymać panny Flapper.

– Zastanówmy się zatem, co o niej wiadomo – podjęła Rochelle.

– Przeniosła się do nas ze straszyceum w Truposzech – powiedziała Robecca. – Na pożegnanie dostała od poprzedniej szkoły stado starych trolli.

Venus skinęła głową.

– Musimy porozmawiać z potworami z tej szkoły, dowiedzieć się, dlaczego odeszła, wyciągnąć z nich jak najwięcej na jej temat.

– W takim razie musimy włamać się do sekretariatu i odnaleźć dane panny Flapper – dodał Cy.

– Chłopaku, nie wiedziałam, że taki z ciebie buntownik – powiedziała Robecca z uśmiechem. Była wyraźnie pod wrażeniem odwagi cyklopa.

– Jak pewnie się domyślacie, nie popieram idei włamania jako takiej. Jednak w tym wypadku rozumiem, że jest to konieczne – wybąkała Rochelle.

– Nie musisz z nami iść, jeśli masz się przez to czuć nieswojo – oznajmiła Venus. – Poradzimy sobie w trójkę.

– Chcę pójść z wami. Robecca miała rację: mamy tylko siebie. Nie mogę was zostawić.

– Czy to kolejny punkt Kodeksu Etycznego Gargulców?

– Nie, tak głosi prywatny Kodeks Rochelle Goyle.

OSZUKIWANA

POSZUKIWANA

POSZUKIWANA

# ROZDZIAŁ piętnasty

Przejście do sekretariatu w ciągu dnia okazało się niemożliwe ze względu na ilość plakatów z ich twarzami, które znajdowały się właściwie w każdym punkcie szkoły. Dlatego też przyjaciele postanowili zostać w labiryncie aż do zmroku.

Tej samej nocy, przy akompaniamencie szelestu nietoperzych skrzydeł, Robecca, Rochelle, Venus i Cy zaczęli skradać się ostrożnie wzdłuż głównego korytarza, nerwowo rozglądając się za trollami. Wiele zdążyło się zmienić przez ten krótki czas, odkąd Flap objęła rządy w szkole. Informa-

cje na temat zmian w regulaminie rozsyłano do uczniów równo co godzinę. Zniesiono wolność wypowiedzi, a trollom narzucono jeden słuszny styl ubierania; bestie miały teraz obowiązkowo nosić granatowo-czerwone mundury, związywać włosy w kucyk i patrolować korytarze wyłącznie marszem, ustawione w wojskowych formacjach.

– Popatrzcie, ile zachodu trzeba, żeby zagonić trolle pod prysznic. Co nam to o nich mówi? – zastanawiała się na głos Venus.

Wtem grupa musiała ukryć się w cieniu drzwi, by przepuścić ostatni oddział trolli udających się na nocny spoczynek.

– Nic, czego wcześniej nie wiedzieliśmy. Trolle to istoty, które nie przywiązują wagi do higieny osobistej. Między innymi z tego powodu *Przewodnik gargulca w podróży* przestrzega przed przyjmowaniem zaproszeń do ich domostw – odparła niezawodna Rochelle.

Gdy korytarz opustoszał, Venus poprowadziła przyjaciół obok posępowni i Laboratorium Absolutnie Pomylonego Naukowca. W końcu stanęli przed potężnymi, kutymi drzwiami do sekretariatu.

– Zamknięte – szepnęła Robecca. – Venus, zamierzasz użyć swoich gałązek jak wytrychów?

– A co to takiego wytrych?

– Hej, odsuńcie się – zarządziła Rochelle. – Niech chociaż raz moje twarde szpony na coś się przydadzą.

Gargulica zaczęła piłować zamek, aż w końcu drzwi ustąpiły. Cała czwórka szybko weszła do środka i rozdzieliła się w poszukiwaniu odpowiednich dokumentów. Nie było to łatwe ze względu na panujący wewnątrz bałagan, a zależało im na czasie: chcieli jak najszybciej wrócić do swojej kryjówki w labiryncie.

Rochelle siedziała przy biurku tak pochłonięta przeglądaniem papierzysk, że nie słyszała cichych trzasków i jęków dobiegających z siedziska. Pozostała głucha na rozpaczliwe wołanie krzesła o pomoc. Poniekąd zdążyła się już przyzwyczaić, że meble, na których siadała, stękają pod jej niewielką, acz ciężką osobą. Do tego w tej chwili zbytnio zajmowała ją sprawa panny Flapper, by mogła zwrócić uwagę na cokolwiek innego. Dopiero kiedy krzesło pękło z trzaskiem, a ona sama wylądowała na stosie kawałków drewna, zorientowała się, że coś było nie tak.

– Rochelle? – zapytał znajomy głos. Ktoś stał w drzwiach do sekretariatu.

– Deuce? Czy to ty?

– Jesteś cała? Twój upadek wyglądał poważnie – odparł chłopak i zbliżył się do dziewczyny. Na nosie miał charakterystyczne ciemne okulary.

– Nic mi nie jest. Obawiam się, że to nie pierwsze krzesło, które złamałam – westchnęła gargulica, zastanawiając się jednocześnie, czy Deuce wciąż pozostaje pod wpływem uroku panny Flapper.

– Cieszę się, że przynajmniej ty się nie połamałaś – powiedział chłopak tonem pozbawionym emocji. Nagle jego twarz przebiegł dziwny skurcz, jakby właśnie przypomniał sobie, że rozmawia z potworzycą poszukiwaną w całej szkole listem gończym. – Rochelle, a co ty właściwie robisz w sekretariacie?

– Flap wyznaczyła mnie do nocnego porządkowania dokumentów – skłamała dziewczyna, jednocześnie gestem nakazując swoim przyjaciołom ukrycie się.

– Nie mówisz prawdy – stanowczo stwierdził Deuce.

– Proszę, nie mów o tym nikomu. My tylko chcemy, by szkoła znów stała się normalna. – wytłumaczyła gargulica.

– Niestety, Flap chce się z wami widzieć. Nie mam wyboru, muszę was do niej zaprowadzić, i to jak najszybciej.

– Proszę, Deuce, pozwól mi odejść – szepnęła Rochelle. Jej przyjaciele zaczęli powoli skradać się w kierunku wyjścia.

– Nie mogę się na to zgodzić... – odparł niepewnie chłopak.

– Jasne, że możesz. To przecież ja, jedyna potworzyca, która może ci spojrzeć prosto w oczy. Proszę! – powtórzyła.

– Swoim zachowaniem działasz na szkodę naszych braci, a to nie jest w porządku – stwierdził sucho Deuce. – Idę po trolle.

– Jesteś pewien? – spytała Venus, po czym wionęła w jego kierunku chmurą pomarańczowego pyłku.

– Co za oblecha! – zdenerwował się chłopak i zaczął ścierać lepki pyłek z policzków.

– O nie, urok jest mocniejszy od pyłku!

– Trolle! – krzyknął Deuce z całych sił.

– *C'est une catastrophe!** – pisnęła Rochelle i rzuciła się do ucieczki razem z pozostałymi.

Dziewczyna znała swoje ograniczenia i wiedziała, że nie jest w stanie biec szybciej niż Deuce. Na szczęście akurat, gdy wypadła na korytarz, na goniącego ją chłopaka opadła chmara nietoperzy. Latające ssaki zaczęły atakować węże wijące się na jego głowie, gatunki te toczyły bowiem odwieczną walkę o nieoficjalny tytuł najmniej ulubionego zwierzaka normalsów. Kiedy w końcu nocni myśliwi odlecieli z powrotem na belki pod

* Co za nieszczęście! (fr.)

sufitem, Rochelle i jej przyjaciele zdążyli się rozpłynąć w mroku nocy.

Gdy wrócili do kryjówki w labiryncie, Cy pochwalił się, że dosłownie sekundę przed pojawieniem się Deuce'a udało mu się znaleźć i przepisać numer telefonu do poprzedniej szkoły, w której pracowała panna Flapper. Dokumenty nauczycielki leżały przyciśnięte doniczką z kwiatami – dyrektor Krewnicka zdecydowanie nie miała głowy do porządku.

– Accademia de Mostro w północnych Truposzech – przeczytał cyklop. – Muszę jeszcze raz wrócić do szkoły i zakraść się do klasy, w której jest telefon z możliwością wybierania połączeń międzynarodowych.

– Czy nie powinniśmy pójść wszyscy razem? – zaproponowała Robecca ochoczo.

– Im większa grupa, tym większe ryzyko, że ktoś nas zauważy.

– Chłopak ma rację – przyznała Venus. – Ale... czy ty mówisz po truposku?

– Trochę podłapałem od Trzygłowego Freddiego. Liczę na to, że znajdzie się tam choć jedna osoba, z którą uda mi się dogadać.

– Może zacznij poszukiwania od Strachoteki. Jest chyba najbliżej. Poza tym wiele razy widziałam, jak doktor Skrytostryga korzystał tam z telefonu – zaproponowała Rochelle, po czym położyła chłopakowi na dłoni złotą spinkę od kapelusza i wyszeptała: – *Bon chance.*

Dochodziło wpół do piątej rano, kiedy Cy ukradkiem wymknął się z labiryntu, minął lochy i cmentarzysko i w końcu stanął przed wejściem do Strachoteki. Wyjął z kieszeni ostrą spinkę, którą dostał od gargulicy, i zaczął manewrować nią

w zamku drzwi wejściowych. Choć nie przyznałby się do tego przed nikim, coraz bardziej podobała mu się nowa rola włamywacza. Pozostawiony bez nadzoru, przy rozluźnionej szkolnej dyscyplinie, poczuł w sobie zaskakujący przypływ odwagi i niezależności.

W końcu zamek puścił, a Cy wkradł się do zakurzonego pomieszczenia. Na stojącym w rogu biurku znalazł wysłużony czarny aparat telefoniczny.

Wybrał pozornie niekończący się numer i czekał, wsłuchany w obco brzmiący odgłos w słuchawce.

– *Buongiorno!* – przywitał się ktoś po drugiej stronie.

– Eee... bondżiorno – odpowiedział niepewnie Cy.

– Kto mówi? – spytał z wyraźnym truposkim akcentem mężczyzna w słuchawce.

– Nazywam się Cy Clops i chodzę do straszyceum Monster High w Salem, w Stanach Zjednoczonych. Jeśli to możliwe, chciałbym porozmawiać z dyrektorem pańskiej szkoły.

– *Signore* Vitriola, przy telefonie.

– Pańska była nauczycielka niedawno pojawiła się w naszej szkole. Może kojarzy pan pannę Flapper?

– Owszem... – odparł ostrożnie mężczyzna.

– Cóż, wygląda na to, że rzuciła urok na większość uczniów i nauczycieli, jest chyba zaklinaczką potworów i...

– Och, tylko nie to! – zawołał mężczyzna przerażony. – A więc to się rozprzestrzenia! Proszę zostawić mnie w spokoju i nigdy więcej nie dzwonić pod ten numer!

– Ale proszę pana, ten czar zniszczy naszą szkołę!

– Nie mogę ci pomóc, synu. Byłem zmuszony zamknąć moją accademię rok temu. Nie miałem wyboru… nie potrafiłem tego powstrzymać.

– Mówi pan o pannie Flapper?

– Proszę, naprawdę nie chcę o tym rozmawiać. Może wy będziecie mieć więcej szczęścia z tą księgą niż ja.

– Jaką księgą?

– Musicie odnaleźć Szlochotekę waszej szkoły, żeby…

– A co to takiego?

– Każde straszyceum posiada ukryty pokój, nazywany właśnie Szlochoteką. W nim przechowywane są ściśle tajne księgi. Wstęp do niego mają wyłącznie osoby z tytułem magistra nauk bestiarskich. Podejrzewam jednak, że w waszym przypadku można zrobić wyjątek.

– Jak znaleźć to pomieszczenie?

– W każdej szkole znajduje się ono gdzie indziej.

– Dziękuję panu, *signore* Vitriola.

– Mam nadzieję, że dla was nie jest jeszcze za późno – odparł szeptem starszy mężczyzna i odłożył słuchawkę.

# ROZDZIAŁ
# szesnasty

Szlochoteki nie było na żadnym ze szkolnych planów i na żadnej z map. Nie wspominał o niej żaden raport na temat straszyceum ani list powitalny, który otrzymali przed rozpoczęciem roku szkolnego. Gdyby nie słowa *signore* Vitrioli, żadne z czwórki przyjaciół nie wiedziałoby o istnieniu takiego pomieszczenia. Jak dowiedzieli się później, Federacja Potworów przykazała utrzymywać je w tajemnicy w obawie przed żądnymi przygód uczniami, którzy mogliby chcieć się tam dostać.

Aby zlokalizować tajemniczy pokój, dziewczyny i cyklop musieli dokopać się do oryginalnych projektów budynku szkoły. Mieli szczęście – znaleźli je w jednej z opuszczonych szop na terenie labiryntu. Uważnie przestudiowali każdy centymetr poplamionych arkuszy i w końcu namierzyli pomieszczenie ukryte za Laboratorium Absolutnie Pomylonego Naukowca. Tam mogła mieścić się Szlochoteka. Gdy jednak udali się na miejsce, by to sprawdzić, odkryli, że to jedynie magazynek woźnego.

– Żaden z tych zaułków nie jest wystarczająco duży, by zmieścić w sobie Szlochotekę! – stęknęła z rezygnacją Venus po powrocie do kryjówki, gdy ponownie nachylili się nad planami.

– Musimy szukać dalej – uspokajała ją Rochelle. – Nie mamy wielkiego wyboru.

– Moglibyśmy stąd uciec i dołączyć do trupy cyrkowej – zażartowała zielonoskóra.

– Fuj, nie cierpię cyrku! Namawiali mnie przez tyle lat – jęknęła Robecca. – Na szczęście ojciec stanowczo im odmawiał. Twierdził, że życie w namiocie prowadzi do zardzewienia.

Cy przeglądał arkusze nawet wtedy, gdy dziewczyny posnęły, ułożywszy się na okolicznych krzakach żywopłotu. Gałęzie były nieco kłujące, ale zaskakująco wygodne.

– Hej, chyba coś znalazłem – zawołał niezbyt głośno do koleżanek.

Potworzyce, wyczerpane zarówno fizycznie, jak i psychicznie, zareagowały tak jak zawsze na głos budzących ich rano rodziców: przewróciły się na drugi bok i zignorowały wołanie. Uprzejmy jak zawsze, Cy odczekał dziesięć minut, i ponownie spróbował wzbudzić ich zainteresowanie.

– Ekhm, dziewczyny, mam wrażenie, że na coś wpadłem. Może dzięki temu uda nam się odnaleźć Szlochotekę.

– Co? Jak? Mówiłeś coś? – Venus w jednej chwili zerwała się z legowiska i zeskoczyła z żywopłotu.

– Venus ma rację, Cy. Musisz nauczyć się mówić głośniej – dodała Robecca i spojrzała na chłopaka z potępieniem.

– Oczywiście, masz rację, postaram się – wybąkał cyklop.

– Ależ jestem zdenerwowana. Proszę, powiedz, o co chodzi – nalegała Rochelle, jednocześnie szorując ostrą gałązką żywopłotu po ramieniu. Lubiła testować wszelkie możliwe sposoby wygładzania skóry.

– Szczerze mówiąc, myślałem o tobie, Rochelle...

– O niej? No tak, oczywiście. Zresztą wcale ci się nie dziwię. To naprawdę odlotowa dziewczyna. I ten jej zabójczy akcent. Ojej, chyba ci przerwałam. Coś mówiłeś? Jak zwykle mnie poniosło – plątała się Robecca i w końcu zawstydzona odwróciła wzrok.

– Rochelle jest najmniejsza z nas, mniejsza od przeciętnego potwora...

– Teoretycznie masz rację, ale muszę zaznaczyć, że mój wzrost jest absolutnie przeciętny w społeczności gargulców...

– Mimo swych niepozornych rozmiarów to właśnie ona mieści w swojej głowie najwięcej infor-

macji: ciągle cytuje z pamięci regulaminy, kodeksy... – ciągnął niezrażony cyklop.

– I?... – dociekała Venus.

– Jeszcze nie rozumiecie? Założyliśmy, że Szlochoteka musi być dość obszernym pomieszczeniem, ale myliliśmy się. Nie trzeba wiele miejsca, by przechowywać informacje.

– Rany julek, Cy! Jesteś genialny! – zawołała Robecca.

– Nic mi o tym nie wiadomo – wymamrotał chłopak. – Ale chyba wiem, gdzie znajduje się nasz tajemniczy pokój. To ten najmniejszy na planie szkoły.

I tak odziani od stóp do głów w czerń przyjaciele opuścili labirynt w środku nocy, by odnaleźć Szlochotekę.

– Wiem, że nie powinnam tak mówić, ale nie przepadam za nietoperzami – wyszeptała Rochel-

le, gdy szli głównym korytarzem. – Ich społeczność wydaje mi się zbytnio uporządkowana.

– Ty i twoje zasady – prychnęła rozbawiona Venus, po czym zerknęła na idących za nią Robeccę i Cy.

– Hej, czy cyklopi noszą okulary? A jeśli tak, to jak one wyglądają? Pojedyncza oprawka? Czy może wolicie szkła kontaktowe? Domyślam się, że to głupie pytanie, ale strasznie mnie to ciekawi. Podobnie Penny. Och, no nie, gdzie ona jest? Znowu ją gdzieś zostawiłam – westchnęła Robecca.

– Jest razem z Rouxem i Gryziołem. Zostawiliśmy ich na cmentarzysku, tam są bezpieczni, pamiętasz?

– Racja! Jak to dobrze mieć za towarzysza kogoś obdarzonego dobrą pamięcią.

– A wracając do twojego pytania... Jeżeli u cyklopa wystąpią problemy z ostrością widzenia, to niestety nie naprawią tego ani okulary, ani szkła.

– Jaka szkoda – odparła Robecca.

– Dziewczyny, to tutaj – syknął Cy i pochylił się nagle, w ostatniej chwili unikając zderzenia z nisko przelatującym nietoperzem. Odruchowo zasłonił przy tym swoje jedyne oko – bardzo nie lubił, gdy wpadały mu do niego pyłki czy owady, nie wspominając o niewielkich ssakach.

– Dlaczego jesteśmy z powrotem przy laboratorium? – chciała wiedzieć Venus.

– Chodźcie za mną – zarządził cyklop i poprowadził potworzyce przez zabałaganione pomieszczenie pełne fiolek i retort aż do składziku woźnego.

Cy zaczął działać. Odkręcał i zakręcał kurki w kranie, manewrował stojakiem na miotły, kilkakrotnie włączał i wyłączał światło, ale nic się nie działo.

– To na pewno za tym pomieszczeniem? Plany były w tym miejscu okropnie nieczytelne – spytała z powątpiewaniem Robecca.

– To musi być tutaj.

– Serio? Bo ja już niczego nie jestem pewna – westchnęła Venus, ze złością kopiąc framugę drzwi.

W tym momencie z sufitu rozległ się dźwięk podobny do tego wydawanego przez samolot, który wysuwa koła do lądowania. Z góry zaczęła zjeżdżać metalowa drabina. Zatrzymała się kilka centymetrów nad podłogą.

– Wydawało mi się, że mówiłeś coś o ukrytym pokoju za składzikiem! – zdziwiła się Robecca.

– Na planie wyglądało to trochę inaczej – odparł Cy, po czym postawił nogę na pierwszym stopniu drabiny i zaczął wchodzić.

Po chwili zniknął w sufitowej dziurze, zrobił parę kroków i opuścił się do pomieszczenia, które wyglądało jak najmniejsza biblioteka świata. Miała najwyżej metr na metr, a każdy jej centymetr wypełniały oprawione w skórę woluminy. Cy przeleciał wzrokiem wszystkie tytuły (szybkie czytanie to niezaprzeczalna zaleta bycia cyklopem). Jego badawcze oko zatrzymało się wreszcie na właściwym tytule: *Zaklinacz potworów*.

– Hej, jak tam? – zawołała Venus.

– Już wychodzę – odparł chłopak. Jednak kiedy spróbował zdjąć książkę z półki, odkrył, że przykuto ją łańcuchem do ściany. Musiał przyznać, że jeszcze nie widział bardziej skutecznego zapobiegania przetrzymywaniu bibliotecznych książek.

Wrócił do składziku i opowiedział o wszystkim dziewczynom. Zaczęli wspólnie zastanawiać się, co zrobić.

– Ktoś musi tam wejść i przeczytać tę książkę. Tylko kto? – zapytała Robecca. – Od razu mówię, że ja zrobiłabym to bardzo chętnie, ale moje współlokatorki pewnie zaprotestują, i to słusznie, biorąc pod uwagę moje problemy z koncentracją. Choć z drugiej strony bardzo lubię czytać. Jako dziecko przeczytałam *Alicję w Krainie Czarów* chyba ze cztery razy i...

– Myślę, że wszyscy jesteśmy jednego zdania: Robecca odpada – przerwała jej Venus.

– Chyba najlepiej będzie, jeśli ja to zrobię. Mam najlepszą pamięć z nas wszystkich, jak zresztą zauważył Cy. Poza tym jestem drobna i łatwiej będzie mi poruszać się po ograniczonej przestrzeni – powiedziała Rochelle.

– Uważam, że to ja, liderka naszej grupy, powinnam tam wejść. Potrafię myśleć niestandardowo, a wyjście z sytuacji, w której się znaleźliśmy, zdecydowanie nie będzie proste i oczywiste – zasugerowała Venus.

– Ja słucham wyłącznie liderów wybranych na drodze demokratycznego głosowania, a nie przypominam sobie, byśmy takowe przeprowadzili – odparowała Rochelle.

– Wiesz, nie chciałam ci tego mówić, ale nie wydaje mi się, żeby udało ci się wejść po tej drabinie, nie łamiąc jej. Wszyscy pamiętamy, co zrobiłaś temu biednemu krzesłu w sekretariacie.

Wyczuwając rosnące napięcie, Cy postanowił zainterweniować:

– A może ja pójdę? Przeczytam tę książkę najszybciej.

– Niech będzie – ustąpiła Venus. Rochelle skinęła głową.

Cy wrócił do składziku dziesięć minut później z trudnym do rozszyfrowania wyrazem twarzy. Zszedł po drabinie i zamiast opowiedzieć dziewczynom, co takiego wyczytał, stanął na środku i wbił wzrok w podłogę.

– Ejże, Cy! Czego się dowiedziałeś?

– Powiem tyle: złamanie zaklęcia rzuconego przez zaklinacza potworów nie będzie łatwe – wymamrotał chłopak.

– W porządku, powinniśmy sobie poradzić z niełatwym zadaniem – uśmiechnęła się Venus.

– Cóż, szczerze mówiąc, to naprawdę trudne – westchnął chłopak.

– Co zrobić, z naprawdę trudnym też damy sobie radę.

– No dobra, to praktycznie niemożliwe – wyznał cyklop.

– Proszę, powiedz nam, co właściwie musimy zrobić – przerwała im podenerwowana Rochelle.

– Aby odczynić urok, zaklinacz musi połknąć jedną łyżeczkę zmielonego ferniszowca. Jednocześnie jego szyję musi opleść wąż, który chwilę wcześniej przeszedł proces zombifikacji.

– Przyznaję, to nie brzmi jak kaszka z mleczkiem – stwierdziła ostrożnie Robecca.

– Czekajcie, to jeszcze nie koniec – dodał Cy i westchnął tak ciężko, jak pan D'nat w największym ze swoich dołów. – Wszystko to musi się stać punktualnie o północy.

– Okej, teraz rozumiem, co miałeś na myśli, mówiąc „praktycznie niemożliwe" – jęknęła Venus. – Niestety, to nasza ostatnia deska ratunku.

Wzorem nietoperzy czwórka przyjaciół przesypiała większość dnia, a nocami pracowała nad realizacją pozornie niemożliwej misji. Na szczęście niektóre rzeczy dały się załatwić całkiem sprawnie. Jednej nocy Venus wybrała się na zwiady i w gabinecie pana Klepki odnalazła zarówno korzeń ferniszowca, jak i żaro-serum. Udało im się także ustalić, kiedy zaatakują – ich wybór padł na noc, w którą miała się odbyć Dyskoteka Martwego Człowieka. Nie mieli zresztą wielkiego wyboru, bo w jakich innych okolicznościach mieliby szansę spotkać pannę Flapper o północy? Najbardziej skomplikowanym elementem układanki okazał się wąż.

– Jak zamierzamy mu to... zrobić? – wymamrotała Robecca, wpatrując się w cienkiego szaro-żółtego gada, którego „pożyczyli" sobie ze spiżarni panny Kindergrubber. Zupa z niejadowitych węży stanowiła swego rodzaju danie popisowe nauczycielki.

– Nie mam pojęcia – odparł Cy. – Pan Klepka nie mówił, jak należy stosować serum po jego podgrzaniu.

– Wystarczy, że wlejemy mu do pyska kilka kropel i poczekamy, aż zrobi się cały szary i zacznie się poruszać w zwolnionym tempie – powiedziała Rochelle.

– A niby jak zamierzasz zachęcić go do otworzenia pyska? – zastanawiała się Venus. – Poprosisz go: otwórz szeroko buzię i powiedz „aaa"?

– Skoro pytasz, to myślałam, żeby dodać odrobinę roztopionego sera do serum. Węże, podobnie jak Upioryżanie, wprost za nim przepadają. Kiedy tylko ten maluch poczuje zapach camemberta, sam otworzy pyszczek. Uwierz mi – żachnęła się Rochelle.

– Mam wrażenie, że zapominamy o najważniejszym. Jak zamierzamy dostać się na bal nie-

zauważeni? – zapytała Robecca. – Przecież ściga-
ją nas listem gończym!

– Mam na to jedną odpowiedź – odparła Venus.
– Magazyn kostiumów kółka teatralnego.

## ROZDZIAŁ siedemnasty

Za zagajnikiem gęstych, wysokich sosen kryło się najstarsze i najwspanialsze cmentarzysko Salem, Jęczyduszno. Nie było to zwykłe miejsce spoczynku, lecz prawdziwa nekropolia, miasto zmarłych, pełne strzelistych nagrobków, bogato zdobionych mauzoleów i rozbudowanych podziemnych krypt. Cmentarz ten powstał przed wiekami z inicjatywy Jęczoła Duszy, zombie, który wierzył, że życie po śmierci może być równie satysfakcjonujące, jak to pierwsze. Dlatego też na Jęczydusznie trudno było znaleźć niskie, pospolite płyty nagrobne. Tylko kil-

ka pozostało rozrzuconych w trawie, zniszczonych przez deszcz i stopy licznych odwiedzających.

Pełne głębokich cieni zarówno w dzień, jak i w nocy, cmentarzysko było jednocześnie przeraźliwe i fascynujące. Drobna wada konstrukcyjna w mauzoleum rodzinnym samego twórcy, Jęczoła Duszy, sprawiła, że w pęknięciach jego marmurowych ścian wiatr wył wyjątkowo posępnie, a czasem do złudzenia przypominał czyjś szept.

Noc Dorocznego Balu Upiorów nie należała do wietrznych, pojedyncze podmuchy cicho syczały więc między nagrobkami, sprawiając wrażenie, jakby gdzieś bzyczała uciążliwa mucha.

Droga ze szkoły przez gęsty sosnowy lasek była niewygodna i wyczerpująca. Przebrani za wilkołaki (stroje pożyczyli ze szkolnego przedstawienia pod tytułem *Wilczek na dachu*) Robecca, Venus, Rochelle i Cy z mozołem przedzierali się przez gałęzie, atakowani przez ptaki i owady. Co więcej, musieli

to robić możliwie niezauważeni. Gdyby zostali złapani teraz, jeszcze przed podjęciem próby zatrzymania panny Flapper, wszystko byłoby stracone. Nic już nie uchroniłoby Salem przed żądną władzy i rewolucji zaklinaczką. Każde z nich zdawało sobie z tego sprawę, lecz najmocniej ich położeniem przejmowała się Rochelle.

Jako typowy gargulec dziewczyna zwykle szczyciła się swym opanowaniem, umiejętnością chłodnej kalkulacji i przewidywania wszelkich możliwych scenariuszy wydarzeń. Lubiła w sobie te cechy, gdyż wierzyła, że dzięki nim ona i osoby w jej otoczeniu mogą czuć się bezpiecznie. Jednak tej nocy Rochelle wolałaby raczej mieć naturę beztroskiej optymistki, która ruszyłaby do boju bez zastanawiania się nad konsekwencjami ewentualnej porażki. Wiedziała jednak, że w jej przypadku to niemożliwe. Była gargulcem: jej ciało nigdy nie było lekkie, a ona sama nigdy nie podchodziła lekko do życia.

– Rochelle, stawiasz kroki zbyt ciężko – szepnęła ostrzegawczo Venus w obawie, że gałęzie trzaskające głośno pod stopami przyjaciółki zwrócą uwagę niepożądanych osób.

– Staram się, jak mogę, ale skradanie się nie należy do naturalnych umiejętności gargulców.

– Użyj skrzydeł!

– Narobią jeszcze więcej hałasu! – prychnęła Rochelle.

Wtem rozległo się syknięcie i za Venus ukazał się obłok pary – namacalny efekt podenerwowania Robekki.

– Kurczę blaszka, nie potrafię się uspokoić. Czuję się jak nietoperz na gorącym, blaszanym dachu!

– Słyszę czyjś śpiew. Szybko, na ziemię! – parsknęła Venus i pociągnęła za sobą Robeccę.

Chociaż raz byli wdzięczni dyniogłowym za ich nieustające podśpiewywanie. Inaczej nigdy by ich nie zauważyli. Dyniowi chłopcy, ubrani w swoje

najlepsze ubrania, w podskokach przemierzali gęstwinę lasu. Kiedy ich wesołe głosiki ucichły w oddali, Cy zaczął podnosić się z igliwia, ale Venus złapała go za ramię i pokręciła przecząco głową. Cyklop wyraźnie nie wiedział, o co jej chodzi. Nie słyszał nic podejrzanego, podobnie jak inni – w tym sama zielonoskóra. Dziewczyna wyczuła za to słaby zapach niemytego ciała, przemieszany z aromatem taniej wody kolońskiej i żelu do włosów. To mogło oznaczać tylko jedno: nadchodziły trolle.

W ciągu kilku minut nie tylko słyszeli tupot równo maszerujących stóp, ale i czuli drżącą od niego ziemię. Nie zdziwili się więc, gdy nagle zza drzew wyłonił się oddział dziesięciu potworów. Przykro zaskoczył ich za to widok panny Sue Nami na ich czele. Kobieta miała na sobie taki sam granatowo-czerwony mundur jak trolle. Nigdy nie była to przyjazna postać, jednak w trakcie krótkiego roku szkolnego w Monster High dała się poznać jako chodząca stanowczość, wiarygodność i odpowiedzialność. Teraz, pozbawiona tych cech, postawiona w jednym szeregu ze stworzeniami tak pospolitymi jak trolle, wydała im się bardzo przygnębiająca.

Kiedy czwórce przyjaciół udało się wreszcie dotrzeć na skraj nekropolii, sierść ich kostiumów była cała poskręcana i wilgotna od pary nieustannie wypuszczanej przez Robeccę. Na widok kordonu otaczającego mury cmentarzyska opuściły ich wszelkie złudzenia na temat sprawnego i szybkiego przeprowadzenia akcji. Jęczyduszno otaczało tyle umundurowanych trolli, że ktoś mógłby pomyśleć, iż zwiedza je właśnie Gillary Clinton albo inna znana osobistość.

Bestie były ustawione w zwartym rzędzie, jedna obok drugiej, z twarzami zwróconymi na zewnątrz. Wypatrywały przeciwników Flap.

– Rany julek! – pisnęła Robecca na ich widok. – Jakim cudem przedostaniemy się do środka?

– Od stóp do głów okrywa nas wilkołacza sierść – stwierdziła Venus. – Musisz tylko postarać się uspokoić swoje kotły, bo wystarczy jeden kłąb pary i już po nas.

– Lepiej zaczynajmy – przerwała im Rochelle i wyciągnęła z torby mały słoik.

Szaro-żółty wężyk drzemał w pojemniku, całkowicie nieświadomy czekającego go losu.

– Chcę tylko powiedzieć, że nie czuję się w porządku, zmieniając to stworzenie w zombie bez jego zgody. Nie wydaje mi się, aby Kodeks Etyczny Gargulców pochwalał takie zachowanie.

– W takim razie daj mi fiolkę. Cyklopi nie mają kodeksu – powiedział Cy i przejął od Rochelle podłużne szklane naczynie z zielonym płynem i niewielkimi kulkami sera Camembert. – Masz zapalniczkę?

Chłopak zaczął podgrzewać fiolkę, aż serum i ser zaczęły bulgotać i w końcu zlały się w jedną całość.

– Miejmy nadzieję, że ten wąż ma czuły węch.

Jednooki nastolatek ostrożnie przystawił mieszankę do słoika z gadem. Zwierzak nawet nie drgnął.

– Pewnie jest uczulony na laktozę i nienawidzi sera! – burknęła Venus.

– Nie, patrzcie! – zawołała Robecca na widok węża, który nagle uniósł głowę i rzucił się w kierunku aromatycznej mazi.

Kiedy cała zawartość fiolki zniknęła w jego pyszczku, czwórka przyjaciół wbiła w niego wzrok, wypatrując pierwszych oznak przemiany.

– Skąd mamy wiedzieć, czy jego ruchy są spowolnione? Przecież ten wąż w ogóle się nie rusza! – zauważyła rzeczowo Rochelle.

– Jego skóra... jest cała szara i zmatowiała. Spójrzcie na te oczy! Stały się przekrwione – powiedział podekscytowany Cy.

– Może powinniśmy sprawdzić mu puls, tak na wszelki wypadek? – zastanawiała się na głos Robecca.

– Nie trzeba – stwierdziła Venus. – Już czas. Musimy iść.

Do północy zostało równo dziesięć minut, gdy czwórka potwornych przyjaciół zbliżyła się do głównej bramy cmentarza, obok której stał pomnik Jęczoła Duszy. Nie wiedzieć czemu, założyciel został odziany w długą różową suknię balową. Przyczepiono mu również zdobione, smocze skrzydła, a na głowę założono czerwonorudą perukę – wszystko na wzór niedoścignionej panny Flapper.

– Szkoda tak pięknego materiału – westchnęła Rochelle.

Podchodzili właśnie do pierwszej grupy trolli.

– Pamiętajcie, że jakby co, to jesteśmy kuzynami Clawdeen z gorzej wyczesanej strony rodziny – wymamrotała pod nosem Venus.

Czuli na sobie ciężar spojrzeń trolli, gdy przechodzili przez utworzony przez nie tunel. Venus i Rochelle panowały nad swoimi nerwami, gorzej było z Cy i Robeccą. Chłopaka zaczęło swędzieć całe ciało, jakby dostał nagłej reakcji alergicznej na wilkołacze przebranie. I choć potrafił powstrzymać się od drapania, cały trząsł się od wzbierającego w nim napięcia. Drgawki były tak silne, że momentami wyglądało, jakby miał jakiś atak!

Idąca obok niego Robecca z wyraźnym trudem dusiła w sobie narastającą pod ciśnieniem parę. Jej łaskotanie z każdą sekundą stawało się coraz bardziej nieznośne. Im bardziej próbowała się uspokoić, tym bardziej się denerwowała i produkowała więcej pary.

– Coś ty nie tak? – warknął jeden z trolli do drżącego cyklopa.

– Proszę się nim nie przejmować. Boi się, że nie zostanie wybrany Królem Wrzasku, bo ma skołtunione futro – próbowała zażartować Venus, jednocześnie łapiąc chłopaka pod ramię.

– Co być w twój nos? – troll przeniósł zainteresowanie na Robeccę.

– Do stu śrubek, wszystko zepsułam – szepnęła dziewczyna łamiącym się głosem.

– Wezwać Sue Nami! – rozkazał troll jednemu ze swoich kolegów.

– Nie trzeba, to być normalne u wilkołaków – odparł zawołany.

Venus spojrzała na niego zszokowana. Rozpoznała w nim bowiem swojego czerwononosego znajomego.

Doroczny Bal Upiorów okazał się dla czwórki przyjaciół sporym zaskoczeniem, choć w gruncie rzeczy żadne z nich nie wiedziało, czego się spodziewać. Zamiast muzyki i odgłosów śmiechu ich uszy dosłownie zalało morze szeptów. Jak celnie zauważył Cy, dźwięk ten przypominał syk tysięcy węży. Skryte między pokrytymi mchem nagrobkami, potwory i potworzyce Monster High stały w małych grupkach i szeptały sobie do uszu. Dziewczyny i chłopak mijali je ostrożnie, unikając cudzych spojrzeń, by nie zostać rozpoznanym.

W środku Jęczyduszna ujrzeli pozłacaną scenę, z której panna Flapper niczym królowa pozdrawiała tłum zebranych. Odziana w fantastyczną, ręcznie wyszywaną czarno-złotą szatę, była niezaprzeczalnie piękna.

– Jak stoimy z czasem? – szeptem spytała Venus.

Rochelle zerknęła na zegarek.

– Trzy minuty i dwadzieścia sekund do godziny zero.

– Pamiętajcie, jeżeli tylko będziemy trzymać się planu, mamy jakieś pięćdziesiąt procent szans na sukces – oznajmiła spokojnie zielonoskóra.

– A dokładnie czterdzieści trzy i pół – poprawiła ją gargulica.

– Kurczę blaszka, od razu poczułam się pewniej! – jęknęła Robecca.

Przyjaciele poklepali się po plecach, by dodać sobie otuchy i rozeszli się w trzech różnych kierunkach. Cy towarzyszył Robecce ze względu na jej notoryczne problemy z czasem. Poza tym i tak nie mógłby zostawić jej samej wśród tych wszystkich zaczarowanych potworów.

Napędzani przez strach i adrenalinę, Venus, Rochelle, Robecca i Cy zajęli umówione pozycje po dwóch stronach sceny. W tej stresującej chwili nawet Robecca była na tyle skupiona, by zerknąć na zegarek na ekranie iTrumny. Odliczała upływające sekundy z niespotykaną dla siebie koncentracją.

Pierwszy ruch wykonała Rochelle. Była równo 11.59:30. Dziewczyna wspięła się na dach niewysokiej krypty i jednym susem przerzuciła swoje granitowe ciało na scenę. Tak jak się spodziewała, ruch zwrócił uwagę stojącego nieopodal trolla. Zaczęła biec najszybciej, jak potrafiła, i choć nie należała do najsprawniejszych biegaczek, tym razem po raz pierwszy w życiu czuła, że pędzi do celu jak strzała. W rzeczywistości troll był dosłownie krok za nią i pewnie byłby ją złapał, gdyby nie rzuciła się w końcu na pannę Flapper. Objęła kobietę mocno za nogi, tym samym przykuwając ją do sceny.

Podium zalewało teraz prawdziwe mrowie śmierdzących bestii. Venus kichnęła w ich stronę gęstą chmurą pomarańczowego pyłku najmocniej, jak potrafiła. Robecca poszła w jej ślady i wypuszczała kłęby pary wodnej. Trolle padały na kolana i krztusiły się na potęgę.

– Już czas! – krzyknęła Venus i zarzuciła szarego węża na smukłą, kremowobiałą szyję panny Flapper.

Robecca syknęła parą prosto w oczy smoczej władczyni – ta wrzasnęła jak opętana. Wykorzystał to Cy i wcisnął do jej otwartych ust łyżeczkę zmielonego korzenia ferniszowca.

– Ratunku! Zdrajcy! – krzyczała panna Flapper, dławiąc się i plując.

– Tylko nie to! Tracimy proszek! – zawołał Cy. Venus ciasno oplatała bluszczem delikatne, lecz zaskakująco silne dłonie kobiety.

Rochelle mocno trzymała jej szczupłe nogi, szarpiąc przy tym pazurami dół jej kreacji.

– Czuję się okropnie! Ten materiał jest po prostu *fantastique* – mamrotała pod nosem.

Nagle zapadła cisza.

Ruch na całym cmentarzysku zamarł. Potwory, trolle – wszyscy zatrzymali się w swoich pozach jak zamrożeni. Oniemiała Rochelle rozejrzała się dookoła, powoli wypuściła z objęć pannę Flapper i ostrożnie się podniosła.

– Wszystko stanęło – szepnęła do swoich przyjaciół.

– Co to znaczy? – spytała niepewnie Robecca, a z jej uszu syknęły strumienie pary.

– Może zrobiliśmy coś nie tak – zgadywał Cy, przyglądając się badawczo nieruchomym, lecz wyraźnie skonfundowanym postaciom.

– No nie! Co myśmy im zrobili? Chyba nic złego? – zastanawiała się na głos Venus. Jej bluszczowe liście zaczęły drżeć ze zdenerwowania.

W tym samym momencie przez tłum przeszła fala szeptów. Jeszcze chwilę temu sztywne, postaci zaczęły ziewać, przeciągać się i trzeć zaspane oczy.

– Chyba się budzą! – zawołała podekscytowana Rochelle.

Szept szybko zmienił się w ogólne poruszenie. Wraz z wracającą świadomością zebrane na cmentarzysku towarzystwo coraz głośniej i burzliwiej domagało się wyjaśnień.

– Gdzie ja jestem?

– Co się dzieje?

– Jak ja się tu znalazłam?

– Hurra, udało się! – zawołała Venus i zaczęła skakać z radości.

Robecca odpaliła swoje odrzutowe buty, wystrzeliła do góry i zaczęła wykonywać nieprawdopodobne akrobacje na tle nocnego nieba. Zaskoczone potwory patrzyły na nią oszołomione, ale jednocześnie zafascynowane. Wszyscy byli pod wrażeniem jej niesamowitych umiejętności.

– Kurczę blaszka! Nie wierzę! Jesteśmy wolni! Wolni! – wołała wesoło dziewczyna.

– Jak to, wolni? Nie bardzo rozumiem, co my tu wszyscy robimy? – spytała Frankie Stein, pocierając swe zielone czoło w zamyśleniu.

– Hm, gdzie się podziała panna Flapper? Byliśmy przecież umówieni – jęknął z rozczarowaniem pan D'nat.

Robecca, Venus i Rochelle nie zdążyły udzielić im odpowiedzi, bo na scenę zdążyła już wparować wściekła jak osa Cleo de Nile.

– Chwileczkę! Przecież to Doroczny Bal Upiorów! Dlaczego mam na sobie te ohydne ciuchy? Czy to jakiś durny dowcip? – krzyczała oburzona egipska księżniczka, zerkając na swój strój: sukienkę z brązowego sztruksu z wyhaftowaną mordką fretki.

– Moi drodzy uczniowie – przerwała jej dyrektor Krewnicka. – Zaraz wszystko wam wytłumaczę.

– Z całym szacunkiem, pani dyrektor, ale nic pani nie rozumie. Nie ma pani pojęcia o tym, co tutaj zaszło – powiedziała stanowczo Rochelle.

– Cóż, niewykluczone, że masz rację, moje dziecko. Doprawdy nie wiem, co tu robię. Może panna Sue Nami nam pomoże?

– Niestety ja też mam w głowie kompletny mętlik – odparła wodna kobieta. – Widzę wszystko jak przez mgłę... Może to wszystko był tylko sen?

– Proszę, proszę, to coś nowego! – zawołała dyrektor Krewnicka.

– Ostatnie, co pamiętam jasno i wyraźnie, to że szłam korytarzem i szukałam panny Flapper – dodała kobieta, zerkając podejrzliwie na swój dopasowany mundur.

– To ciekawe. Ja też pamiętam pannę Flapper – wtrąciła Clawdeen. Najwyraźniej inni pomyśleli o tym samym, bo po chwili wszystkie oczy na cmentarzysku patrzyły na nauczycielkę, wciąż stojącą pośrodku sceny.

– Co nam zrobiłaś? – zapytał groźnie Jackson Jekyll.

– To jakiesz szaleństwo! Chyba muszymy szę prze-spacz – westchnęła Blanche van Sangre, po czym ona i jej siostra wśliznęły się do pobliskiej krypty.

– Bardzo mi przykro, ale nie mam zielonego pojęcia, kim jesteście ani gdzie się znajdujemy – wymamrotała wyraźnie zakłopotana panna Flapper.

– No tak. Bardzo wygodnie – parsknęła Venus i przewróciła wymownie oczami.

Panna Sue Nami zaprowadziła pannę Flapper oraz pozostałych uczniów i nauczycieli do Wampiauli, by Venus, Robecca, Rochelle i Cy mogli w spokoju opowiedzieć o szalonych wydarzeniach ostatnich tygodni. Słuchano ich z zapartym tchem. W połowie opowieści panna Flapper wybuchła gorzkim płaczem. Szlochała mocno i chyba nikt nie miał wątpliwości, że jest szczerze przerażona tym, co się stało. Zaklinała się, że na nią również ktoś musiał rzucić urok, który odebrał jej wolną wolę i kazał robić tak okropne rzeczy.

– Biedna panna Flapper – chlipnęła Draculaura, ocierając łzy współczucia.

– Dobrze wiem, jakie to nieprzyjemne ciągle czegoś nie pamiętać, i mogę sobie tylko wyobrazić, że straszne wspomnienie, którego nie da się zapomnieć, jest równie okropne – powiedziała z zadumą dyrektor Krewnicka.

– Muszę panią ostrzec, że bratanie się z wrogiem to niebezpieczna gra – przerwała jej ostro panna Sue Nami, jednocześnie opryskując przełożoną wodą dla otrzeźwienia.

– Proszę się nie wygłupiać, panno Sue Nami. Panna Flapper jest taką samą ofiarą jak my wszyscy...

Jednak Robecca, Rochelle i Venus nie były o tym przekonane. Słowo „ofiara" dzwoniło im w uszach jeszcze długo, zmuszając je do nie-

ustannej refleksji nad tym, co właściwie im się przydarzyło.

W ciągu następnych dni życie w Monster High powoli wróciło na normalne tory. No, może tylko zadań domowych było nieco więcej ze względu na stracony czas. Uczniowie musieli stawić czoła podwójnym porcjom materiału, by nadrobić zaległości. Doktor Skrytostryga, pan Klepka i pozostali nauczyciele prowadzili lekcje nawet w weekend. Po burzliwej debacie dyrektor Krewnicka i panna Sue Nami postanowiły zatrzymać w szkole armię podstarzałych trolli, bo mimo pewnych wad świetnie sprawdzały się w roli strażników porządku. Poza tym nie bardzo było wiadomo, gdzie można by je odesłać.

Niepokojące wydarzenia w straszyceum miały jednak i swoje dobre skutki. Zacieśniły się więzy

między uczniami a gronem nauczycielskim: wszyscy pracowali równo i bez wytchnienia, by jak najszybciej przywrócić szkolnemu życiu jego właściwy rytm. Wyraźnie chcieli jak najszybciej wyrzucić z pamięci wspomnienia przykrej przygody z szeptactwem. Zapominali przy tym jednak o jednym ważnym pytaniu, które spędzało sen z powiek Robecce, Venus i Rochelle. Jeśli panna Flapper rzeczywiście padła ofiarą złowrogiego uroku, to kto go na nią rzucił? I – co bardziej istotne – dlaczego to zrobił?

– Nie wierzę, że nadszedł już czas układania planu lekcji na przyszły semestr – stęknęła Robecca, okrywając kołdrą siebie i swoją pingwinicę.

– Kochana, chyba położyłaś Penny do góry nogami – zauważyła Rochelle, wskazując na drobne metalowe pingwinie łapki wystające z pościeli.

– Rany julek! – zaśmiała się Robecca.

– To co, w przyszłym semestrze wszystkie trzy zapisujemy się na zajęcia ze Smoczej Ekonomii z panną Flapper? – spytała z przekąsem Venus.

– Po tym, jak cała szkoła znalazła się pod działaniem złego uroku i musiałyśmy własnoręcznie ją ratować, osobiście wolałabym przeżyć ten semestr możliwie spokojnie. Nie mam nic przeciwko odrobinie nudy – odparła cierpko Rochelle.

Venus uniosła brwi pytająco.

– Jak to, zamierzasz zostawić pana D'nata jego własnemu losowi?

– Skądże! Jestem gargulcem! Nie mogę mieć na koncie niewykonanego zadania! Nie spocznę, dopóki nie zobaczę uśmiechu na twarzy tego kościotrupa!

– Cóż, dobrze, że masz w perspektywie jeszcze kilka lat w Monster High – zażartowała Robecca.

– Nie potrzebuję tyle czasu. Wystarczy, że mam was – stwierdziła poważnie Rochelle. – Przyjaciółki na zabój to przyjaciółki na zawsze. Musimy sobie pomagać, niezależnie od okoliczności.

– Zgadzam się! Przyjaciółki na zabój, do boju! Będzie mi niezwykle miło uczynić gargulca honorowym założycielem oficjalnego kompostownika straszyceum! – parsknęła śmiechem Venus.

– Venus, *s'il vous plaît**, nie przesadzajmy…

---

* Proszę (fr.)

# epilog

Dwa miesiące później Cy Clops otrzymał niespodziewaną przesyłkę. Rochelle, Robecca i Venus dawno już porzuciły próby rozwikłania zagadki tajemniczego uroku. Życie całej szkoły wróciło przecież do normy. Czwórka przyjaciół zmieniła jednak zdanie, gdy ujrzała zawartość koperty…

*Oni powrócą do Monster High, tak jak powrócili do mojej szkoły. Musicie być czujni. I to bardzo.*
*Signore Vitriola*

Te trzy linijki sprawiły, że wszystko się zmieniło. Wygrali bitwę, ale wojna najwyraźniej nie była jeszcze skończona. Gdyby tylko wiedzieli, kto jest ich przeciwnikiem…